Triangles

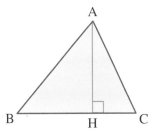

AH est la hauteur issue du sommet A.

Triangle rectangle

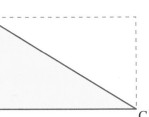

Angle droit en A.

Triangle isocèle

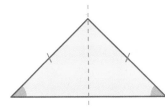

Un axe de symétrie.
Deux côtés de même longueur.
Deux angles égaux.

Triangle équilatéral

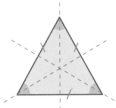

Trois axes de symétrie.
Trois côtés de même longueur.
Trois angles égaux.

Quadrilatères

Un **quadrilatère** est un polygone qui a quatre côtés et deux diagonales.

Un **trapèze** est un quadrilatère qui a deux côtés parallèles.

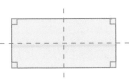

Un **parallélogramme** est un quadrilatère dont les côtés opposés sont parallèles et de même longueur.

Un **rectangle** a quatre angles droits, les côtés opposés sont parallèles et de même longueur.

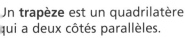

Un **losange** a quatre côtés de même longueur. Les côtés opposés sont parallèles.

Un **carré** a quatre angles droits et quatre côtés de même longueur. Les côtés opposés sont parallèles.

POUR COMPRENDRE LES MATHÉMATIQUES

CM2 cycle 3

J.-P. Blanc
Directeur d'école

N. Bramand
Professeur des Écoles

P. Bramand
Professeur agrégé

É. Lafont
Professeur des Écoles

C. Maurin
Professeur d'I.U.F.M.

D. Peynichou
P.E.M.F.

A. Vargas
Directeur d'école

Et moi, Mathéo !

hachette
ÉDUCATION

Mode d'emploi du manuel

Ce manuel, conforme aux programmes, a été conçu dans une optique résolument constructiviste :
« **Faire des mathématiques, c'est résoudre des problèmes.** »
Nous avons apporté un soin particulier à l'**analyse de situations problèmes** (activités de recherche personnelle, argumentation des réponses), aux **activités géométriques** (analyse de figures, tracés à main levée…), à la pratique du **calcul raisonné** (calcul réfléchi, calcul automatisé, calcul instrumenté) ainsi qu'à la recherche de l'**autonomie** des élèves grâce à la différenciation des exercices.
Tout au long de l'ouvrage, **une mascotte** guide les enfants par ses questions pertinentes ou ses conseils judicieux.

S'exercer
Mise en pratique individuelle et progressive
des apprentissages abordés dans la recherche collective.
Pour aider l'enseignant dans sa pratique de classe,
la plupart des exercices sont différenciés
en deux niveaux de difficulté **A** et **B**.
Pour chaque exercice, la compétence abordée est précisée.

Calcul mental
Proposition d'une progression
en calcul mental.
Les batteries d'items figurent
dans le guide pédagogique.

**Banque d'exercices
et de problèmes**
Renvoi à un recueil
d'exercices et de problèmes.

Compétences
Informations pour
l'enseignant. Compétences
des programmes traitées
dans la leçon.

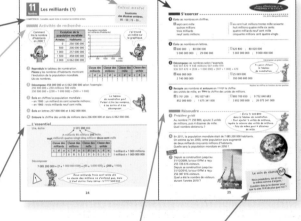

Activités de recherche
Activités individuelles ou par groupes.
La mise en commun est conduite par
l'enseignant. Ces activités visent
à développer chez les enfants
un comportement de recherche :
– émettre et tester des hypothèses ;
– procéder à des essais successifs ;
– élaborer et éprouver la validité
d'une solution originale ;
– argumenter.

L'essentiel
Points importants
de la leçon à retenir
et à réinvestir
dans les exercices.

Le coin du cherch eur
Exercice ludique qui
fait appel à la logique,
à l'observation… et que
l'enfant peut traiter
individuellement
à tout moment.

Résoudre
Cette partie propose des problèmes à résoudre. Elle débute
par un *Problème guidé* par des conseils méthodologiques.
L'enseignant trouvera un problème du même type
dans la banque d'exercices et de problèmes.
Certains problèmes sont marqués du logo **Socle commun** :
ce sont des problèmes transversaux relatifs à une des sept
compétences que l'élève doit acquérir au cours de sa scolarité.

Socle commun 5

Ateliers problèmes

Dans chaque période, une page est consacrée à la résolution de problèmes complexes :
– engageant une démarche à plusieurs étapes ;
– impliquant simultanément des unités différentes de mesure…

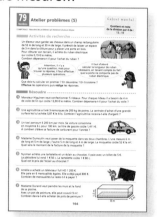

Ateliers informatiques

Cinq ateliers informatiques, un par période, vont permettre aux élèves de réinvestir et d'approfondir leurs connaissances mathématiques dans le cadre du B2i, en autonomie.

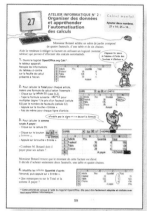

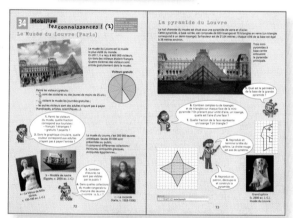

Mobilise tes connaissances !

Pages documentaires présentées comme dans un magazine. À partir des informations, des enfants posent des questions relatives aux notions mathématiques étudiées dans la période.

Fais le point

En fin de période, l'enseignant trouve des exercices préparatoires à l'évaluation du niveau **Socle commun** des compétences. La présentation type QCM permet une correction aisée.
La colonne **Aide** apporte soit un soutien à l'élève en autonomie, soit une orientation pour l'enseignant lors de la remédiation.

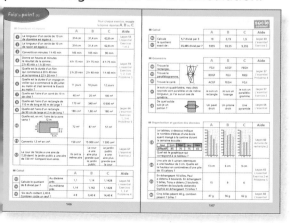

Banque d'exercices et de problèmes

En fin de période, trois pages regroupent un complément d'exercices (notés en vert) et de problèmes (notés en bleu) triés par leçon. Chaque *Problème guidé* rencontré dans les différentes leçons a son homologue dans la banque. On peut ainsi vérifier si les élèves sont capables de réinvestir les conseils méthodologiques.

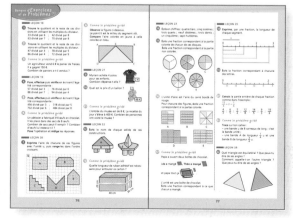

Sommaire

Sommaire par domaine mathématique

Dans ce dessin, tu trouveras de nombreux détails illustrant les notions mathématiques qui seront étudiées dans la période. En voici quelques-uns.
Trouves-en d'autres.

Nombres

Écrire, nommer, comparer les nombres entiers.

Calcul

Connaître la technique opératoire de l'addition, de la soustraction, de la multiplication.

Grandeurs et mesure

Connaître les formules du périmètre du carré et du rectangle.

Géométrie

Vérifier la nature d'une figure géométrique.

Problèmes

Résoudre des situations additives ou soustractives.

Je m'appelle Mathéo. Je vais t'accompagner toute l'année en t'aidant de mes conseils.

Retrouve-moi dans le dessin !

	Leçons		Leçons
crire, nommer, comparer les nombres ntiers.	1, 11, 13	• Reconnaître et tracer des droites perpendiculaires.	3
stimer l'ordre de grandeur d'un résultat.	14	• Reconnaître et tracer des droites parallèles.	6
onnaître la technique opératoire e l'addition, de la soustraction t de la multiplication.	2, 7, 8	• Vérifier la nature d'une figure géométrique.	15
ésoudre des problèmes.	4, 9	• Connaître et utiliser les unités de mesure de longueurs.	5
echercher des données.	12, 17	• Connaître les formules du périmètre du carré et du rectangle.	16

Les millions

COMPÉTENCES : Connaître, savoir écrire et nommer les nombres entiers jusqu'au milliard.
Comparer, ranger, encadrer ces nombres.

Activités de recherche

Voici le nombre d'habitants de quelques pays d'Europe.

Théo

500 km

Allemagne
81 751 600

Luxembourg
511 840

France
65 048 410

Espagne

Norvège
4 920 300

Russie
141 927 200

Malte
417 620

1 **Reproduis** le tableau de numération et **places**-y les nombres d'habitants.

Tu peux t'aider du tableau de numération, pour lire un nombre, le décomposer...

Classe des millions			Classe des mille			Classe des unités		
c	d	u	c	d	u	c	d	u

2 Avec l'aide du tableau de numération, **écris** en lettres le nombre d'habitants de la France.

3 Malte compte 417 620 habitants.
Ce nombre peut se décomposer ainsi :
417 620 = (4 × 100 000) + (1 × 10 000) + (7 × 1 000) + (6 × 100) + (2 × 10)
Décompose de la même façon le nombre d'habitants du Luxembourg, puis celui de la Norvège.

4 **Range** ces pays du plus peuplé au moins peuplé.

5 **Intercale** dans cette liste le nombre d'habitants de l'Espagne (46 152 926 habitants).

L'essentiel

Lire, écrire un nombre
250 028 se lit « **deux cent cinquante mille vingt-huit** ».

Décomposer un nombre
250 028 = (2 × 100 000) + (5 × 10 000) + (2 × 10) + 8

Comparer deux nombres
Quand on compare deux nombres entiers, **le plus grand** est celui qui comporte **le plus de chiffres**.
Si les deux nombres ont **le même nombre de chiffres**, on compare **les chiffres à partir de la gauche**.
5**3**4 300 < 5**6**4 300

Ranger des nombres
59 000 < 425 500 < 900 000
Ces nombres sont **rangés** dans **l'ordre croissant** (du plus petit au plus grand).

Intercaler un nombre
425 500 est **intercalé** entre 400 000 et 500 000.

Cinq cent trois millions soixante-huit s'écrit 503 000 068.
La classe des milliers ne s'entend pas, mais n'oublie pas d'écrire trois zéros.

■ S'exercer

Lire, écrire des grands nombres

1 **Écris** ces nombres en chiffres.

A Douze millions trois cent dix-sept mille
Deux cent treize millions

B Douze millions deux mille cent dix
Cent millions cinq cent trente-sept

---

2 **Écris** ces nombres en lettres.

A 31 678 500 ; 518 421 960

B 31 078 050 ; 508 000 520

Comparer deux grands nombres

3 **Écris** le plus grand des deux nombres.

A • 426 450 ; 99 999
• 1 534 500 ; 2 200 000

B • 1 078 050 ; 1 085 217
• 23 480 000 ; 23 457 800

Ordonner, encadrer, intercaler des grands nombres

4 **Range** ces nombres dans l'ordre croissant.

A 348 768 ; 154 600 ; 67 700 ; 345 900

B 246 768 ; 245 960 ; 2 540 800 ; 245 900

Intercale 200 000 entre deux de ces nombres.

Intercale 250 000 entre deux de ces nombres.

Décomposer des grands nombres

5 **Recopie** et **complète** suivant l'exemple.

264 195	(2 × 100 000) + (6 × 10 000) + (4 × 1000) + (1 × 100) + (9 × 10) + 5
571 301	...
...	(8 × 1 000 000) + (5 × 100 000) + (3 × 10 000) + (6 × 1 000) + (1 × 10) + 1

■ Résoudre

6 **Problème guidé**

Au nombre 215 863, ajoute 4 dizaines de mille, 1 centaine et 2 dizaines.
Quel nombre obtiens-tu ?

— Écris 215 863 dans le tableau de numération.
— Pour ajouter 4 dizaines de mille, repère la colonne des dizaines de mille.
— Fais de même pour ajouter 1 centaine puis 2 dizaines.

Socle commun 5

7 Observe le tableau ci-dessous.
a. Quelle est l'agglomération la plus peuplée ?
b. Quelles agglomérations ont plus de vingt millions d'habitants ?
c. Quelles agglomérations ont entre vingt et trente millions d'habitants ?

Population de quelques grandes agglomérations	
Paris :	12 089 098
Londres :	12 448 448
New York :	22 232 494
Mexico :	23 293 783
Pékin :	12 522 839
Tokyo :	37 730 064

Londres

Le coin du cherch(eur)

Combien de carrés se cachent dans cette figure ?

L'addition
et la soustraction posées

COMPÉTENCE : Utiliser les techniques opératoires sur les nombres entiers.

▬▬▬ Activités de recherche ▬▬▬▬▬▬▬▬▬▬▬

Un site de vente par Internet fait le bilan des colis expédiés au mois de mai dans différents pays.

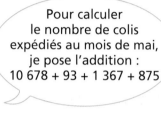

COLIS.com

Allemagne 10678 Chypre 93
Belgique 1367 Autriche 875

1 Quel est le nombre total de colis expédiés ?

Pour calculer le nombre de colis expédiés au mois de mai, je pose l'addition :
10 678 + 93 + 1 367 + 875

	mille			unités	
c	d	u	c	d	u
	1	0	6	7⁺²	8
+				9	3
+		1	3	6	7
+			8	7	5
					3

Écris bien les chiffres des unités dans la colonne des unités, les chiffres des dizaines dans la colonne des dizaines, etc. N'oublie pas les retenues.

Boris

Recopie l'addition sur ton cahier et **termine**-la.

2 En mars, cette entreprise a expédié 10 291 colis et en avril 9 875.
Quelle est la différence de colis expédiés entre les mois de mars et d'avril ?

Pour calculer la différence entre les nombres de colis, j'effectue la soustraction :
10 291 – 9 875

	mille			unités	
c	d	u	c	d	u
	1	0	2	9	1⁺¹⁰
–			9	8	7⁺¹ 5

Écris le plus grand nombre en haut. N'oublie pas les retenues.

Léa

Recopie la soustraction sur ton cahier et **termine**-la.

L'essentiel

Poser l'opération

On doit aligner les nombres par la droite :
– les chiffres des unités dans la colonne des unités ;
– les chiffres des dizaines dans la colonne des dizaines...

Calculer

On calcule colonne par colonne en commençant par les unités sans oublier les retenues lorsqu'il y en a.

Vérifier

On vérifie le résultat d'une soustraction en effectuant une addition.

Opération

```
    +10 +10
  2  2   0   9
– +1 +1
     3   5   2
  1  8   5   7
```

Vérification

```
  +1  +1
       3   5   2
+  1   8   5   7
   2   2   0   9
```

⚠ Lorsque tu poses une soustraction le plus grand nombre est toujours en haut.

▬▬ **S'exercer** ---------------------------------

Maîtriser la technique opératoire de l'addition et de la soustraction

❶ Recopie et **effectue**.

A

```
    7 9 6 5 8              1 0 6 7 8
  +         9 5          -     2 5 8 7
  +     1 4 6 7
  +         8 4
```

B

```
      4 8 5 6 7          5 1 0 6 7 8
  + 3 7 5 4 9 0        -   2 7 2 7 5
  +       1 3 6 7
  +           8 5
  +         6 8 8
```

---

❷ Pose et **effectue**.

A 4 567 + 10 567 + 58

69 568 + 5 600 + 458

370 900 + 945 + 51 000

2 360 982 + 8 942 063

B 234 568 + 674 + 12 457 + 68

34 568 + 7 894 + 678 587 + 93

67 085 + 364 + 5 912 + 9 028

345 091 + 3 500 742 + 945 672

---

❸ Pose et **effectue**.

A 6 798 – 4 592   ;   345 670 – 235 580

12 780 – 6 840   ;   18 540 – 678

B 4 050 – 3 680   ;   100 404 – 23 055

3 608 500 – 457 083

▬ **Résoudre** --------------------

Socle 3 commun

❹ Problème guidé

Voici le diamètre de quelques planètes du système solaire.

Calcule les différences entre ces diamètres.

– Tu dois calculer trois différences :
entre Jupiter et Saturne,
entre Jupiter et la Terre,
entre Saturne et la Terre.
– Pose chaque opération en écrivant
le nombre le plus grand en premier.

Jupiter   Saturne   Terre

143 000 km   120 536 km   13 460 km

---

❺ La population de Rio de Janeiro, au Brésil, est passée de 43 000 habitants en 1800 à 811 000 habitants en 1900.

En 2000, cette ville comptait 10 600 000 habitants et, en 2009, 11 700 000 habitants.

Calcule l'augmentation du nombre d'habitants de Rio entre :

a. 1800 et 1900   b. 1900 et 2000   c. 2000 et 2009

---

❻ Les mêmes fruits ont la même valeur.

Trouve la valeur de chacun.

*Le coin du cherch**eur***

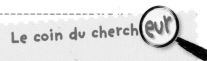

Quel jeton dois-tu déplacer pour avoir le même nombre de jetons dans chaque alignement ?

11

Les droites perpendiculaires

COMPÉTENCES : Utiliser en situation le vocabulaire géométrique : droites perpendiculaires.
Reconnaître et tracer des droites perpendiculaires.

Activités de recherche ----------------------------

Voici le plan de la ville d'Arles au temps des Romains.

Decumanus

Cardo

1 **Observe** le plan de cette ville romaine. Comment se coupent le decumanus et le cardo ? **Vérifie** avec tes instruments.

Dans l'Antiquité, quand les Romains construisaient une ville, ils traçaient d'abord un grande rue nord-sud : le cardo, en vert sur le plan. Ils traçaient ensuite une autre grande rue, est-ouest : le decumanus, ici en rouge. Les rues secondaires coupaient ces rues à angle droit.

2 Sur une feuille de papier uni, **trace** avec tes instruments le cardo et deux rues qui le coupent.

3 Sur une feuille de papier uni, **trace** le decumanus, un point A au-dessus de cette droite et un point B en dessous. **Trace** une rue perpendiculaire au decumanus et qui passe par A puis une autre rue perpendiculaire au decumanus et qui passe par B.

L'essentiel

Définir
Des droites perpendiculaires sont des droites qui se coupent à angle droit.
On marque un angle droit par ce symbole (⌐).

Vérifier
Pour vérifier si deux droites sont perpendiculaires, on utilise l'équerre. On place l'angle droit de l'équerre sur un des quatre angles que forment ces deux droites.

Tracer
Pour tracer une droite perpendiculaire à la droite verte et qui passe par M, on utilise l'équerre et la règle.

 ×M

 ×M

×M

Pour tracer ou vérifier des droites perpendiculaires, le placement de l'équerre demande beaucoup d'attention et de précision.

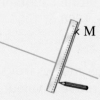

Banque d'**Exercices** et de
Problèmes n°s 8 et 9 p. 40.

 ## S'exercer --

Vérifier si des droites sont perpendiculaires

1 Pour chaque figure, **indique** les couleurs des droites perpendiculaires.

A

Figure 1   Figure 2

B

Figure 3   Figure 4

Tracer des droites perpendiculaires

2 Pour chaque figure, **reproduis** la droite rouge et le point A puis **trace** la droite perpendiculaire à la droite rouge et qui passe par A.

A Figure 1

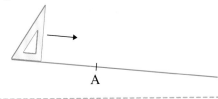

B Figure 3

Figure 2

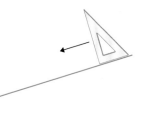

Figure 4

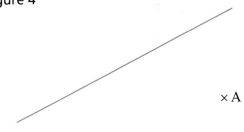

Résoudre --

3 Pour se rendre à son école, Éloïse prend uniquement des rues perpendiculaires les unes aux autres. Quelles rues prend-elle ?

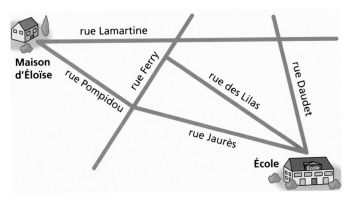

Le coin du cherch**eur**

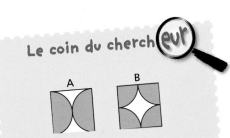

Dans quelle figure, la partie colorée en vert a-t-elle l'aire la plus grande ?

COMPÉTENCE : Résoudre des problèmes du domaine additif ou soustractif.

Activités de recherche

1 Le papa de Laura a parcouru 760 km cette semaine pour ses déplacements professionnels.
Il a noté la distance parcourue chaque jour et l'indication de son compteur le vendredi soir.

Combien de kilomètres le compteur indiquait-il lundi matin ?

Compteur voiture lundi matin

?

760 km

Compteur voiture vendredi soir

15 460 km

Jour	Lundi	Mardi	Mercredi	Jeudi	Vendredi
Distance parcourue (en km)	200	150	100	150	…

Combien de kilomètres a-t-il parcourus vendredi ?

- Pour répondre à la question de Théo, tu peux utiliser une addition à trou ou une soustraction.
Recopie et **complète** les étiquettes et **utilise** la calculatrice pour trouver la solution.

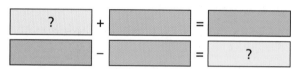

? + =

– = ?

Une calculatrice ne sait pas résoudre une addition à trou, mais elle sait calculer une soustraction !

- Pour répondre à la question de Léa, tu peux commencer par calculer la distance parcourue du lundi au jeudi.

2 Cette semaine, le papa de Laura a parcouru 760 km, c'est 90 km de plus que la semaine précédente.
Combien de kilomètres a-t-il parcourus la semaine précédente ?

L'essentiel

Quand un problème se traduit par une addition à trou, on le résout en effectuant une soustraction.

28 + ? = 43

? + 28 = 43

43 – 28 = ?

43 – 28 = 15

« de plus » ne signifie pas toujours que tu dois effectuer une addition.

Théo possède 47 €, c'est 20 € de plus que Léa.
Combien possède Léa ?

Léa possède 20 € de moins que Théo.
J'effectue une soustraction :
47 – 20 = 27
Léa possède 27 €.

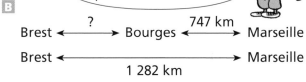

▬▬ S'exercer ----------------------------------

Résoudre un problème additif ou soustractif

1 **Utilise** ta calculatrice pour résoudre ces additions à trou.

A 27 + ? = 52   ;   65 + ? = 81

B 384 + ? = 628   ;   ? + 247 = 419

N'oublie pas qu'une addition à trou peut se résoudre par une soustraction.

2 **Recopie** et **complète** le schéma.

A

Paris ←——464 km——→ Lyon ←——?——→ Nice

Paris ←——————943 km——————→ Nice

B

Brest ←——?——→ Bourges ←——747 km——→ Marseille

Brest ←——————1 282 km——————→ Marseille

3 **Trouve** la question intermédiaire puis **rédige** la réponse à la question posée.

A J'ai acheté deux CD à 15 € l'un.
Je paie avec un billet de 50 €.
Combien le commerçant
doit-il me rendre ?

B Le directeur a commandé un ordinateur
coûtant 540 € et un vidéoprojecteur à 310 €.
Il dispose d'un budget de 1 500 €.
Combien va-t-il lui rester ?

4 **Trouve** le plus âgé avant de rédiger la réponse à la question posée.

A Marc a deux ans de moins que Jules.
Marc a 10 ans.
Quel est l'âge de Jules ?

B Sofia a vingt-huit ans de moins que Chen.
Sofia a 11 ans.
Quel est l'âge de Chen ?

▬▬ Résoudre --------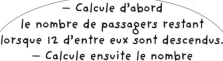

— Calcule d'abord le nombre de passagers restant lorsque 12 d'entre eux sont descendus.
— Calcule ensuite le nombre de passagers lorsque 7 nouveaux passagers sont montés.

5 Problème guidé

Un bus transporte 34 passagers.
Au premier arrêt, 12 passagers
descendent et 7 autres passagers montent.
Combien de passagers sont dans le bus lorsqu'il repart ?

6 En juin, un maillot de bain coûtait 45 € ; en octobre, il coûte 32 €.
Le prix a-t-il augmenté ou diminué ? De combien ?

7 Lors d'une escale, 18 passagers descendent d'un avion
et aucun ne monte. L'avion repart avec 65 passagers.
Combien de passagers étaient dans l'avion avant l'escale ?

8 **Recopie** et **complète** le tableau ci-dessous qui indique
la variation des effectifs de l'école Georges-Brassens.

Effectifs	2012	2013	Augmentation	Diminution
Garçons	108	117	…	
Filles	124	119		…
Total	…	…	…	…

*Le coin du cherch**eur***

Pour chacun de ses anniversaires,
Charles a un gâteau avec le nombre
de bougies correspondant
à son âge. Depuis sa naissance,
il a eu 105 bougies.
Quel est l'âge de Charles ?

Mesurer des longueurs (1)

COMPÉTENCES : Connaître et utiliser les unités du système métrique pour les longueurs
et leurs relations.

Calcul mental

Dictée de nombres.
500 018 ; 78 500…

Activités de recherche

Pour retrouver
Léa je veux emprunter
le chemin le plus court :
est-ce le bleu ou
le rouge ?

Utilise le
tableau pour
convertir.

① **Convertis** en mètres les distances du plan.

Multiples			Unité	Sous-multiples		
kilomètre	hectomètre	décamètre	mètre	décimètre	centimètre	millimètre
km	hm	dam	m	dm	cm	mm

② **Calcule** la longueur du chemin rouge puis celle du chemin bleu.
Quel chemin est le plus court ? Ces trajets mesurent-ils plus ou moins de 1 km ?

Au vivarium,
j'ai vu un alligator, de 3 600 mm
de long, un anaconda de
70 dm et un boa constrictor
de 2 m 50 cm.

③ **Convertis** en centimètres les tailles
de ces trois animaux.
Quel est l'animal le plus long ?
Écris les tailles de ces animaux
dans l'ordre croissant.

L'essentiel

Convertir

Multiples			Unité	Sous-multiples		
kilomètre	hectomètre	décamètre	mètre	décimètre	centimètre	millimètre
km	hm	dam	m	dm	cm	mm
1	0	0	0			
			1	0	0	0
	1	2	5			

1 km = **10** hm = **100** dam = **1** 000 m   **1** m = **10** dm = **100** cm = **1** 000 mm

1 hm **25** m = **125** m

Calculer

Pour effectuer des calculs avec les longueurs,
on doit exprimer toutes les longueurs avec la même unité.
5 km + 23 m = 5 000 m + 23 m = 5 023 m

Dans le
tableau, n'écris
qu'un chiffre par
colonne !

Comparer

Lorsque l'on compare des longueurs, il faut d'abord les exprimer
avec la même unité.
Pour comparer 1 km et 1 hm 25 m, on convertit ces longueurs en mètres :
1 km = 1 000 m ; 1 hm 25 m = 125 m ; 1 000 m > 125 m donc 1 km > 1 hm 25 m

S'exercer

1 **Complète** ces égalités.

A
6 km = ... m
16 hm = ... m
4 dm = ... mm

53 dam = ... m
20 m = ... mm
5 m = ... mm

B 7 km 6 dam = ... m
6 m 2 cm = ... mm
3 hm 8 m = ... m

5 km 20 m = ... m
3 dm 50 mm = ... mm
2 dam 5 dm = ... cm

---

2 **Range** ces longueurs par ordre décroissant.

A • 1 km 6 hm ; 17 hm ; 1 200 m
• 340 mm ; 1 m 1 cm ; 120 cm

B • 52 dam ; 12 hm 30m ; 1 km 500 m
• 126 dm ; 10 m 50 cm ; 2 000 mm

---

3 Ces balles et ballons sont rangés du plus gros au plus petit.
Associe à chacun son diamètre pris dans la liste suivante.

basket

football

handball

tennis

ping-pong

Diamètres
64 mm
2 dm 2 cm
248 mm
16 cm 4 mm
4 cm

---

4 Une coccinelle monte le long d'une branche de longueur 29 cm 7 mm puis d'une feuille de longueur 15 cm.
Calcule en mm la distance qu'elle parcourt.

Résoudre

5 Problème guidé

- Convertis la longueur du parcours plat en mètres.
- Calcule la longueur de la descente.
- Calcule la longueur totale du circuit.

Les élèves d'une école effectuent une course.
Le circuit comprend un parcours plat de 23 hectomètres,
une côte de 500 mètres suivie d'une descente deux fois plus longue que la côte.
Quelle est la longueur de ce circuit ? **Exprime** le résultat en mètres.

---

6 La maman de Léa confectionne une nappe pour sa table de 90 cm de large sur 1 m 80 cm de long. La nappe doit dépasser de la table de 30 cm de chaque côté.
Quelle sera la largeur de la nappe ?
Exprime ton résultat en cm puis en m et cm.
Quelle sera sa longueur ?
Exprime ton résultat en cm puis en m et cm.

---

7 Théo mesure 1 m 12 cm. Léa mesure 19 cm de moins que Théo. Boris mesure 23 cm de plus que Léa.
Combien Léa mesure-t-elle ?
Combien Boris mesure-t-il ?

Le coin du cherch**eur**

Ajoute 5 à ce nombre en déplaçant une seule allumette.

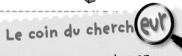

17

Les droites parallèles

COMPÉTENCES : Reconnaître des droites parallèles. Utiliser les instruments pour vérifier le parallélisme de deux droites (règle et équerre) et pour tracer des droites parallèles.

Activités de recherche

Prends une feuille de papier.
Plie-la suivant les étapes ci-contre.
Déplie la feuille. Repasse les plis
en couleur comme sur le dessin.

① ② angle droit ③ ④

1 Que peux-tu dire des droites noire et bleue ?
Noire et rouge ? Bleue et rouge ?
Quels instruments utilises-tu pour le vérifier ?
Mesure à plusieurs endroits l'écartement
entre les droites rouge et bleue. Que constates-tu ?

Utilise
une équerre et une
règle pour mesurer
l'écartement.

non / oui

2 **Observe** le plan de la Nouvelle-Orléans.
Nomme trois rues parallèles à la rue Royal.
Nomme trois rues parallèles à la rue St-Louis.
Sur une feuille de papier uni, **trace** une droite :
la rue Royal, un point A au-dessus de cette droite
et un point B en dessous. **Trace** une rue parallèle
à la rue Royal et qui passe par A puis une autre
rue parallèle à la rue Royal et qui passe par B.

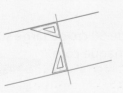

Aide-toi
de L'essentiel.

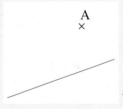

[Plan de la Nouvelle-Orléans : Iberville, Bonville, Dauphine, St-Louis, Toulouse, St-Peters, Orléans, St-Ann, St-Dumaine, Bourbon, Royal, Chartres, Wilk Row, Jackson Square, Madison, Decatur, North Peters, Conti St., Mississipi]

L'essentiel

Définir
Deux droites perpendiculaires à une troisième droite sont **parallèles** entre elles.
Elles ont toujours le même écartement.

Vérifier

[schéma] écartement

Tracer
Pour tracer la droite parallèle à la droite bleue et qui passe par le point A, on trace d'abord
une perpendiculaire à la droite bleue. (2)
On trace ensuite une perpendiculaire à cette droite passant par le point A. (3)

(1) A ×

(2) A ×

(3) A

S'exercer

1 Pour chaque figure, **indique** la couleur des droites parallèles.

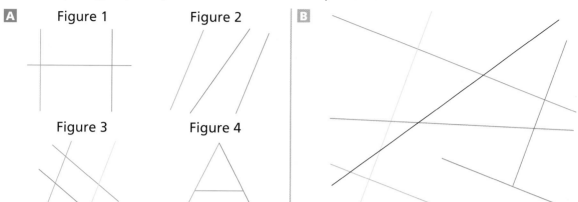

A   Figure 1   Figure 2   B

Figure 3   Figure 4

2 Pour chaque figure, **reproduis** la droite bleue et le point M.
Trace la droite parallèle à la droite bleue et qui passe par M.

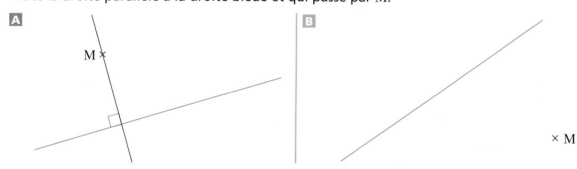

A

M ╳

B

╳ M

3 **Trace** une droite rouge puis trois droites bleues perpendiculaires à cette droite rouge.
Que peux-tu dire des droites bleues ?

4 **Trace** sur papier uni deux droites parallèles dont l'écartement est 4 cm.

Socle 2 commun Résoudre

5 Problème guidé

Look at these parallel strips.
Choose dimensions.
Reproduce the strips.

– Trace d'abord le trait du haut.
– Trace une perpendiculaire à ce trait.
– Place un côté de l'angle droit de ton équerre
contre cette perpendiculaire et fais-la glisser
pour tracer les différentes bandes.

6 Dans chaque cas, trace trois droites à main levée :
a. Les droites sont toutes les trois parallèles.
b. Les droites se coupent en un même point.
c. Deux droites seulement sont parallèles.
d. Elles se coupent en 3 points différents.

Le coin du chercheur

J'ai six fils, dit monsieur Lapin.
Chacun d'eux a une sœur.
Combien ai-je d'enfants ?

7 La multiplication posée (1)

Nombres

COMPÉTENCE : Multiplier deux nombres entiers.

Calcul mental

Tables de multiplication.
6×7 ; 5×9...

▬▬▬ Activités de recherche ▬▬▬▬▬▬▬▬▬▬▬

1 **Observe**, **recopie** et **complète**.

Pour calculer
824 × 63, je commence
par les unités.
824 × 3 = 2 472

Puis je multiplie
824 par 6 dizaines,
donc par 6**0**.
824 × 6**0** = 824 × 6 × 1**0**
= ...

		c	d	u
		8	2	4
×			6	3
	2	4	7	2	₁
+	...	...	...	0
	...	...	...	...

824 × 63 = ...

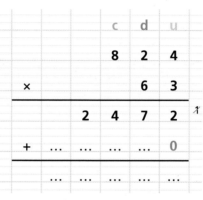

J'additionne
enfin :
2 472 + ... = ...

Hamed

Banque d'**Exercices** et de
Problèmes nᵒˢ 21 et 22 p. 41.

▬▬▬ S'exercer ▬▬▬▬▬▬▬▬▬▬▬▬▬▬▬▬▬▬▬▬

Multiplier deux nombres entiers

1 **Recopie** et **effectue**.

A 413 × 25 = ...

		c	d	u
		4	1	3
×			2	5
	...	...	...	...
+	...	...	...	...
	...	...	...	...

B 352 × 76 = ...

		3	5	2
×			7	6
	...	...	...	...
+	...	...	...	...	...
	...	...	...	...	...

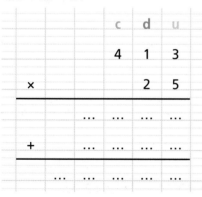

Place les unités
sous les unités... !

2 **Calcule** en posant l'opération.

A 72 × 32 ; 86 × 25 ; 132 × 41

B 123 × 26 ; 489 × 58 ; 4 531 × 67

▬▬▬ Résoudre ▬▬▬▬▬▬▬▬▬▬▬▬▬▬▬

Calcule d'abord
pendant combien
de temps Julie fait du
vélo chaque jour.

3 Problème guidé

Chaque jour, Julie fait du vélo d'appartement :
22 minutes le matin et 36 minutes le soir.
Combien de minutes de vélo fait-elle en 15 jours ?

4 Léa invite 24 amis pour son anniversaire.
Elle donne 12 bonbons à chaque ami.
Combien de bonbons a-t-elle distribués ?

La multiplication posée (2)

Calcul mental

Tables de multiplication.
8×7 ; 6×9...

Activités de recherche

1 **Observe, recopie** et **complète**.

Je multiplie 3 825 par 503.
Pour éviter d'écrire une ligne de zéros, lorsque je multiplie les dizaines, je commence le calcul des centaines au troisième rang, je place donc deux zéros sur la deuxième ligne.

		1	8	2	5	
×			5	0	3	
		5	4	7	5	×2
+	...	...	2	5	0	0	²1
	...	...	...	...	...	...

1 825 × 503 = ...

Pour calculer 6 800 × 360
je décompose :
68 × 100 × 36 × 10 = 68 × 36 × 1 000
Je pose donc 68 × 36 puis
je multiplie le résultat par 1 000.

		6	8	
×		3	6	
	4	0	8	⁴
+	...	...	4	0	²
	...	...	...

6 800 × 360 = ...

Banque d'**Exercices** et de **Problèmes** nᵒˢ 23 et 24 p. 41.

S'exercer

Multiplier deux nombres entiers

1 **Recopie** et **effectue**.

A 283 × 305 = ...

	2	8	3
×	3	0	5

2 100 × 46 = ...

		2	1
×		4	6

B 754 × 503 = ...

	7	5	4
×	5	0	3

9 800 × 630 = ...

		9	8
×		6	3

2 **Calcule** en posant l'opération.

A 189 × 204 ; 863 × 605
210 × 560 ; 321 × 3100

B 1 569 × 309 ; 412 × 2 008
970 × 860 ; 4 070 × 5 300

Résoudre

3 Problème guidé

Une centrale d'achat de supermarché commande 1 600 boîtes d'œufs par semaine. Sachant que dans une année il y a 52 semaines, combien de boîtes d'œufs commande-t-elle par an ?
Chaque boîte contient 12 œufs.
Combien commande-t-elle d'œufs dans l'année ?

Pour calculer le nombre de boîtes d'œufs commandées à l'année, multiplie 16 par 52, puis multiplie par 100 le nombre obtenu. Procède de même pour calculer le nombre d'œufs à l'année.

4 Un carton contient 304 sacs de ballons de baudruche.
Il y a 105 ballons dans chaque sac.
Combien de ballons se trouvent dans le carton ?

Le coin du chercheur

Dessine un rectangle qui peut être découpé en deux carrés en donnant un seul coup de ciseaux.

9
Nombres

Atelier problèmes (1)

COMPÉTENCE : Résoudre des problèmes relevant des quatre opérations : utiliser un schéma chronologique pour trouver l'état initial ou la transformation.

Activités de recherche ------------------------------

Ophélie part faire des courses. Elle achète un livre à 16 €. Il lui reste alors 15 €.
Combien d'argent possédait-elle au départ ?

Pour mieux comprendre l'énoncé, réalise ce schéma.

Ophélie

Pour calculer la somme de départ, il faut donc imaginer remettre dans le portemonnaie les 16 € qu'elle a dépensés.

| Somme de départ ? | → Elle a dépensé 16 €. → | Il lui reste 15 €. |

Les 16 € dépensés faisaient-ils partie de la somme de départ ?
Les 15 € restants faisaient-ils partie de la somme de départ ?
Pour calculer la somme de départ, quelle opération dois-tu effectuer ?
Effectue cette opération et **rédige** la réponse.

Résoudre --

1 Avant la récréation, Louis avait des billes dans son sac.
Durant la récréation, il a perdu 15 billes.
À la fin de la récréation, il lui reste 25 billes.
Combien de billes avait-il avant la récréation ?

Avant la récréation, Louis avait-il plus ou moins de billes qu'après la récréation ?

Recopie et **complète** le schéma.

| Nombre de billes au départ ? | → … → | … |

Résous le problème.

Pour répondre à la question, imagine que Dorian rende à son oncle l'argent qu'il lui a donné.

2 Pour son anniversaire, Dorian reçoit 15 € de son oncle.
Il a alors 40 € dans sa tirelire.
Combien possédait-il avant son anniversaire ?
Recopie et **complète** le schéma.

| Économies avant l'anniversaire ? | → … → | … |

Résous le problème.

Le soir, Nina avait-elle plus ou moins de cartes que le matin ?

3 Ce matin, Nina avait 42 cartes de collection dans son cartable.
À l'école, elle en a échangé plusieurs. Le soir, elle a 58 cartes.
Le nombre de ses cartes a-t-il augmenté ou diminué ? De combien ?
Recopie et **complète** le schéma.

| … | → … → | … |

Résous le problème.

22

ATELIER INFORMATIQUE N° 1 :
Tracer des segments
et des droites parallèles
ou perpendiculaires

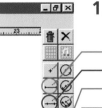

1. Ouvre le logiciel **Déclic*** et observe les boutons représentés ci-dessous.

Ce bouton permet de tracer un segment entre deux points.
Ce bouton permet de tracer une droite passant par deux points.
Ce bouton permet de tracer une droite parallèle.
Ce bouton permet de tracer une droite perpendiculaire.

Clique sur le bouton « Supprimer », puis sur le point, le segment ou la droite que tu souhaites effacer.

2. Pour tracer un segment

– Clique sur le bouton .
– Place un premier point, puis un second : le segment est tracé automatiquement.

3. Pour tracer une droite

– Clique sur le bouton .
– Place un premier point, puis un second : la droite est tracée automatiquement.

4. Pour tracer une droite parallèle à une droite déjà tracée

– Clique sur le bouton .
– Place un point sur la feuille et clique sur une droite déjà tracée. Une droite parallèle à cette droite et passant par le point apparaît automatiquement.
– Recommence plusieurs fois.

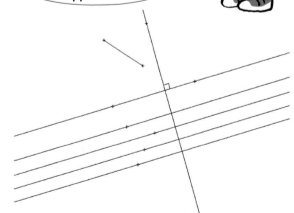

Place le curseur de la souris sur ces boutons : les mots « Parallèle » et « Perpendiculaire » vont apparaître.

5. Pour tracer une droite perpendiculaire

– Clique sur le bouton .
– Place un point sur la feuille, puis clique sur une des droites. La droite perpendiculaire à cette droite passant par le point est tracée automatiquement.
– Recommence.

• *Que remarques-tu ?*

---

* Cette activité est conçue à l'aide du logiciel *Déclic 32* (téléchargeable gratuitement sur http://emmanuel. ostenne.free.fr). Elle peut être **facilement adaptée et réalisée avec tout** logiciel de géométrie dynamique.

Les milliards (1)

COMPÉTENCES : Connaître, savoir écrire et nommer les nombres entiers.

Calcul mental

**Soustraire
des dizaines entières.**
85 – 50 ; 73 – 20…

Activités de recherche

Comment lire le nombre d'habitants en 2000 ?

Évolution de la population mondiale	
Années	**Habitants**
0	250 500 000
500	206 000 000
1 000	257 000 000
1 500	458 000 000
2 000	6 062 000 000

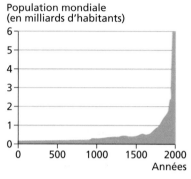

Population mondiale (en milliards d'habitants)

J'ai trouvé un indice sur le graphique.

1 **Reproduis** le tableau de numération.
Places-y les nombres d'habitants montrant l'évolution de la population mondiale.
Lis ces nombres.

Classe des milliards			Classe des millions			Classe des mille			Classe des unités		
c	d	u	c	d	u	c	d	u	c	d	u

2 **Décompose** 458 000 000 et 6 062 000 000 selon l'exemple :
250 500 000 = 250 millions 500 mille
250 500 000 = (250 × 1 000 000) + (500 × 1 000)

3 **Écris** en chiffres la population mondiale :
– en 1900 : un milliard six cent soixante millions ;
– en 1960 : trois milliards neuf cent mille.

Le tableau de numération peut t'aider à lire les nombres, à les écrire et à les décomposer.

4 **Écris** en lettres 257 000 000 et 6 062 000 000.

5 **Entoure** le chiffre des unités de millions dans 206 000 000 et dans 6 062 000 000.

L'essentiel

Lire, écrire

7 085 200 000

7 *milliards* 85 *millions* 200 *mille*
sept *milliards* **quatre-vingt-cinq** *millions* **deux cent** *mille*

Classe des milliards			Classe des millions			Classe des mille			Classe des unités		
c	d	u	c	d	u	c	d	u	c	d	u
		7	0	8	5	2	0	0	0	0	0

1 milliard = 1 000 millions
1 milliard = 1 000 000 000

Décomposer

7 085 200 000 = (7 × 1 000 000 000) + (85 × 1 000 000) + (200 × 1 000)

Deux milliards trois cent mille dix
La classe des millions ne s'entend pas, mais il faut écrire trois zéros : 2 000 300 010

■■■■ S'exercer --------------------------------------

❶ Écris ces nombres en chiffres.

A sept cent mille
quinze millions
trois milliards
neuf cents millions

B six cent huit millions trente mille soixante
huit millions quatre mille six cents
quatre milliards neuf cent mille
cinquante millions cent quatre-vingts

----

❷ Écris ces nombres en lettres.

A 600 000 ; 80 000 000
5 000 000 000 ; 29 000 000

B 620 800 ; 80 020 000
5 003 000 000 ; 9 000 400 000

Décomposer un grand nombre

❸ Décompose ces nombres selon l'exemple.
936 507 470 → 936 millions 507 mille 470
936 507 470 → (936 × 1 000 000) + (507 × 1 000) + 470

A 406 000 000
2 740 000 000

B 25 069 000
350 000 600 000

> Tu peux utiliser le tableau de numération.

Repérer les chiffres en fonction de leur position

❹ Recopie ces nombres et **entoure** en **rouge** le chiffre
des unités de mille, en **bleu** le chiffre des unités de millions.

A 3 701 200 ; 952 027 681
852 000 600 ; 1 675 341 000

B 893 700 650 ; 9 752 040 683
3 852 000 600 ; 26 075 341 000

■■■■ Résoudre --------------------------------------

❺ Problème guidé

Au nombre 71 250 800, ajoute 3 unités
de millions, puis 4 dizaines de mille.
Quel nombre obtiens-tu ?

> – Écris 71 250 800
> dans le tableau de numération.
> – Pour ajouter 3 unités de millions,
> repère la colonne des unités de millions.
> – Fais de même pour 4 dizaines
> de mille.

----

❻ En 2011, la population mondiale était de 7 085 200 000 habitants.
On estime qu'en 2050, cette population aura augmenté
de deux milliards cinq cents millions d'habitants.
Quelle sera la population mondiale en 2050 ?

❼ Depuis sa construction jusqu'au
31/12/2009, la tour Eiffel a reçu
255 726 616 visiteurs.
Depuis sa construction jusqu'au
31/12/2010, la tour Eiffel a reçu
256 387 816 visiteurs.
Quel a été le nombre de visiteurs
durant l'année 2010 ?

Le coin du cherch(eur

Nous possédons, toi et moi,
la même somme d'argent.

Combien dois-je te donner pour
que tu aies 10 € de plus que moi ?

12 Données

Recherche de données

COMPÉTENCE : Rechercher des données dans un texte, un tableau, un plan…

Calcul mental

Différence entre deux nombres.
23 – 19 ; 42 – 35…

━━━ **Activités de recherche** ━━━━━━━━━━━━━━

Le métro de Lyon
Le métro de Lyon comprend 4 lignes : A, B, C et D.

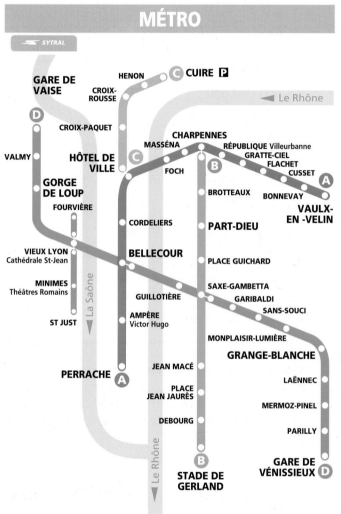

TARIFS	
Tickets à l'unité	1,60 €
Carnet de 10 tickets	14,30 €
Abonnement mensuel	53 €

Durée du trajet

A	Perrache – Vaulx-en-Velin	24 min
B	Charpennes – Gerland	15 min
C	Hôtel de Ville – Cuire	8 min
D	Gare de Vaise – Venissieux	36 min
A	Vaulx-en-Velin – Charpennes	12 min
D	Gare de Vaise – Bellecour	13 min
A	Perrache – Hôtel de Ville	7 min

1. La station Bellecour est à l'intersection de deux lignes. Lesquelles ?

2. Combien de temps met le métro pour parcourir le trajet complet de la ligne B ?

3. Lucas prend le métro à Vaulx-en-Velin pour aller voir un match de football au stade Gerland.
   a. Indique les lignes qu'il doit prendre.
   b. À quelle station doit-il changer de ligne ?
   c. Quelle sera la durée de son trajet en métro ?

4. Quelle ligne passe à la station du centre commercial de la Part-Dieu ?

5. Julia prend le métro à Grange-Blanche et va faire des achats à la Part-Dieu.
   a. Quelles lignes prend-elle ?
   b. Dans quelle station change-t-elle de ligne ?

6. Pour aller à son travail, Ahmed prend le métro matin et soir. S'il travaille 20 jours dans le mois, a-t-il intérêt à prendre des carnets de 10 tickets ou un abonnement mensuel ?

1 Visite d'un musée

Une classe d'Auxerre de 24 élèves veut aller à Paris pour visiter l'exposition inter-musées sur les animaux. Trois adultes accompagneront les élèves.

Horaire trains	
Auxerre	Paris
6 h 30	8 h 10
7 h 30	9 h 10
8 h 35	10 h 15
9 h 18	10 h 48
Tarif Aller simple	
adultes : 26 €	
enfants : 13 €	

Journées inter-musées
Animaux sauvages

Cette journée permet d'explorer le thème des animaux sauvages : fauves, rapaces, reptiles.

Au Muséum national d'Histoire naturelle, les enfants découvrent et dessinent l'animal vivant et l'animal naturalisé.
Accueil à 9 h 50 Durée : 2 h
Tarif : 95 € par classe*

Au Musée d'Orsay, les enfants s'intéressent à la représentation des mêmes animaux et à leur utilisation symbolique par les grands peintres.
Accueil à 14 h Durée : 1 h 30
Tarif : 52 € par classe*

* Accompagnateurs compris

a. Quels sont les deux musées visités ?

b. Les élèves envisagent de prendre le train de 7 h 30 d'Auxerre.
À quelle heure arriveront-ils à Paris ?

c. Il leur faut une demi-heure pour se rendre de la gare au Muséum. Ce train convient-il ?

d. Quel est le prix total, pour le groupe, du trajet aller-retour en train ?

e. Quel est le prix total des entrées au Muséum et au musée d'Orsay ?

f. Quelle est la dépense totale pour cette sortie pédagogique ?

---

2 Smartphone

SAMSUF MP 645
Écran : 2,8 pouces
Mémoire : 1 Go
Autonomie : 125 h
Poids : 124 g
Prix 240

ANTROPOID X 820
Écran : 3,6 pouces
Mémoire : 1,8 Go
Autonomie : 156 h
Poids : 148 g
Prix 302

MATAROLO SWC 5 X
Écran : 4,3 pouces
Mémoire : 2,5 Go
Autonomie : 215 h
Poids : 170 g
Prix 276

POM POM 4A
Écran : 4,8 pouces
Mémoire : 6 Go
Autonomie : 185 h
Poids : 155 g
Prix 307

Je voudrais acheter un smartphone de moins de 300 € avec un écran de plus de 4 pouces. Lequel dois-je prendre ?

Le mien pèse moins de 150 g et a plus de 150 h d'autonomie. Lequel est-ce ?

Les milliards (2)

COMPÉTENCES : Comparer, ranger, encadrer les nombres entiers.

Activités de recherche

États-Unis
313 232 040 hab.

Pakistan
179 318 700 hab.

Chine
1 336 710 000 hab.

Brésil

Indonésie
244 968 342 hab.

Voici les 7 pays les plus peuplés du monde.

Nigéria
170 123 750 hab.

Inde
1 210 193 000 hab.

Quel est le pays qui compte le plus d'habitants ?

① Quels pays ont plus d'un milliard d'habitants ?
Quels pays ont plus de 200 millions d'habitants et moins de 500 millions d'habitants ?

② **Compare** le nombre d'habitants du Pakistan à celui du Nigéria.

③ **Range** ces pays du plus peuplé au moins peuplé.

Utilise le signe < ou le signe > pour écrire tes réponses.

④ Le Brésil a une population de 192 376 400 habitants.
Entre les populations de quels pays s'intercale celle du Brésil ?

⑤ Le nombre d'habitants des États-Unis est compris entre 300 millions et 400 millions :
300 000 000 < 313 232 040 < 400 000 000.
Sur le même modèle, **encadre** le nombre d'habitants de l'Indonésie
puis celui de l'Inde entre deux centaines de millions consécutives.

Trouve d'abord la valeu d'un carreau.

⑥ **Reproduis** la droite graduée ci-dessous et **places**-y approximativement les pays :
Brésil, Indonésie, Nigéria selon leur population en millions d'habitants.

| 0 | 100 | 200 | 300 | 400 | millions d'habitants |

États-Unis

L'essentiel

Comparer deux nombres
Quand on compare deux nombres entiers, le plus grand est celui qui s'écrit avec le plus de chiffres.
Si les deux nombres ont le même nombre de chiffres, on compare les chiffres à partir de la gauche.
5**3**4 206 800 < 5**6**4 007 980

Ranger des nombres
59 864 000 < 425 071 500 < 1 920 000 000
Ces nombres sont **rangés** dans l'**ordre croissant**
(du plus petit au plus grand).

Encadrer un nombre
42 000 000 < 42 800 000 < 43 000 000
42 800 000 est **encadré** entre
deux unités de millions consécutives.

Pour encadrer
42 800 000 entre deux dizaines de millions consécutives, on écrit :
40 000 000 < 42 800 000 < 50 000 000.

▇▇ S'exercer -

Comparer deux grands nombres

❶ Pour chaque ligne, **écris** le plus petit des deux nombres.

A • 34 000 000   ;   120 000 800

• 26 700 400   ;   26 100 000

B • 406 725 000   ;   406 200 700

• 345 781 900   ;   345 780 952

- -

Ranger des grands nombres

❷ **Écris** ces quatre nombres dans l'ordre :

A croissant.

304 000   ;   34 000 000 ;

3 400 000   ;   340 000 000

B décroissant.

841 700 000   ;   405 200 ;

8 400 000 000   ;   846 950 000

- -

Encadrer des grands nombres

❸ **Encadre** chacun de ces nombres : 345 600 000 ; 507 000 840 ; 95 420 000 :

A entre deux unités de millions consécutives.
Exemple :
381 000 000 < 381 254 000 < **382** 000 000

B entre deux dizaines de millions consécutives.
Exemple :
380 000 000 < 381 254 000 < **390** 000 000

- -

Intercaler des grands nombres

❹ **Recopie** cette suite de nombres en intercalant ces nombres :
542 084 900 et 902 741 200.

67 520 < 324 520 789 < 432 950 000 < 809 400 032 < 7 452 800 000

▇▇ Résoudre -

❺ Problème guidé

La Terre se situe à 149 600 000 km du Soleil,
Uranus à 2 milliards 877 millions de km,
Jupiter à 778 millions de km et Vénus à 108 millions de km.
Range ces planètes de la plus proche à la plus éloignée du Soleil.

> — Écris en chiffres tous les nombres.
> — Range ces nombres dans l'ordre croissant.

Socle 5 commun

❻ **Observe** le tableau ci-contre.
a. **Range** dans l'ordre croissant les superficies
des cinq continents.
Tu peux t'aider de la droite graduée.
b. Quelle est la superficie totale des cinq continents ?

EUROPE	10 200 000 km²
AFRIQUE	30 300 000 km²
ASIE	43 550 000 km²
AMÉRIQUE	39 436 000 km²
OCÉANIE	8 900 000 km²

```
|....|....|....|....|....|....|....|....|....|
0    5    10   15   20   25   30   35   40   45
```
millions de km²

Socle 5 commun

❼ Les 27 pays membres
de l'Union européenne comptent
502 476 600 habitants.
a. **Compare** la population
de l'Union européenne à celle
des États-Unis (indiquée p. 28).
b. **Calcule** leur différence
de population.

0 500 km

Le coin du cherch**eur**

Comment découper ce carré en 4 morceaux afin d'obtenir, par collage, deux carrés identiques ?

Arrondir et estimer un ordre de grandeur

COMPÉTENCES : Arrondir un nombre et estimer mentalement un ordre de grandeur d'un résultat.

Activités de recherche

Le cercle polaire passe par un village de Finlande, Rovaniemi, le « village du père Noël ».
Une famille décide de s'y rendre en camping-car depuis Marseille et prévoit les étapes indiquées dans le tableau ci-contre.

Sans poser l'opération cela fait environ 3 600 km.

Comment fait-il pour calculer si vite !

ÉTAPES		
Ville départ	Ville arrivée	distance
Marseille	Strasbourg	802 km
Strasbourg	Hambourg	704 km
Hambourg	Stockholm	984 km
Stockholm	Rovaniemi	1 148 km

Procède comme dans L'essentiel.

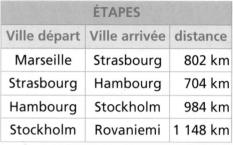

1 **Arrondis** les distances du tableau à la centaine la plus proche.
Utilise ces nombres arrondis pour vérifier mentalement le calcul de Théo.

2 **Arrondis** ensuite les distances de ce panneau indicateur au millier le plus proche.

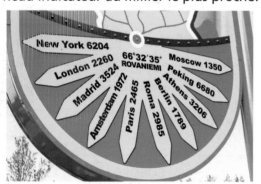

New York 6204
London 2260
Madrid 3524
Amsterdam 1972
Paris 2465
Roma 2985
Berlin 1789
66°32'35" ROVANIEMI
Moscow 1350
Peking 6680
Athens 3206

3 Cette famille achète quelques souvenirs.

Lot de cartes postales : 12 €
Pull finlandais : 69 €
Renne en peluche : 21 €

Arrondis les prix à la dizaine d'euro la plus proche.
Indique un ordre de grandeur du montant des achats si cette famille achète un pull et deux rennes en peluche.

L'essentiel

Arrondir
Pour arrondir 2 738,

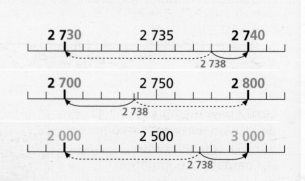

* à la **dizaine** la plus proche → **2 740**

2 730   2 735   2 740
2 738

* à la **centaine** la plus proche → **2 700**

2 700   2 750   2 800
2 738

* au **millier** le plus proche → **3 000**

2 000   2 500   3 000
2 738

Calculer
Les **nombres arrondis** permettent de trouver mentalement **un ordre de grandeur** d'un calcul.
48 + 71 est proche de 50 + 70 = 120
4 800 + 7 100 est proche de 5 000 + 7 000 = 12 000

S'exercer

Arrondir des nombres

1 **Arrondis** ces nombres :

A à la dizaine la plus proche :
578   456   969

à la centaine la plus proche :
1 509   8 498   5 105

B au millier le plus proche :
5 189   9 995   6 008

au million le plus proche :
5 198 752   2 950 999

Donner l'ordre de grandeur d'un calcul

2 Sans poser l'opération, **trouve** le nombre le plus proche du résultat.

A 468 + 530   →   500   1 000   1 300

1 738 + 287 → 3 000   1 800   2 000

B 892 + 413 + 288   →   1 600   1 000   2 000

1 276 + 374 + 3 256 → 4 000   5 000   6 000

3 Sans poser l'opération, **trouve** le nombre le plus proche du résultat.

A 1 592 − 603 → 800   1 000   1 300

3 486 − 512 → 2 500   2 800   3 000

B 2 587 − 1 203 → 1 200   1 400   1 600

4 671 − 4 215 → 100   300   500

Résoudre

4 Problème guidé

Julien veut acheter ces
4 articles. Il possède 150 €.
Aura-t-il assez d'argent pour
régler tous ses achats ?
Trouve la réponse sans
poser d'opération.

– Arrondis
d'abord ces prix à
la dizaine la plus proche.
– Calcule l'addition
mentalement.
– Compare la somme
trouvée à 150 €.

5 Swan compare les prix de 2 stages d'équitation,
l'un sur la Côte basque, l'autre en Vendée.
Quel est le moins cher ?
Trouve la réponse sans poser d'opération.

Côte basque ▲
▲▲▲
Cotisation ..... 79 €
Cours .... 296 €
Hébergement 187 €
Repas .... 108 €

VENDÉE
Assurance Cotisation 90 €
Cours   312 €
Pension complète 404 €

6 Mustafa a recopié le résultat de cette addition
donné par sa calculatrice : | 2 409 |
19 + 459 + 31 + 1 090
Il pense qu'il s'est trompé en tapant les nombres.
Calcule mentalement l'ordre de grandeur du résultat, puis **indique** si Mustafa s'est trompé.

7 La Terre se situe à 149 597 870 km du Soleil
et Vénus à 108 200 000 km.
Arrondis ces distances au million
de kilomètres le plus proche.

Ce sont ces
distances arrondies
que l'on retient.

Le coin du chercheur

Déplace une allumette pour
que l'égalité soit exacte.

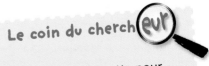

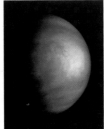

COMPÉTENCE : Vérifier la nature d'une figure.

▰▰ Activités de recherche

Ce vitrail est constitué de figures géométriques.

J'ai relié les sommets opposés de ce quadrilatère avec des pointillés rouges. Ce sont les diagonales.

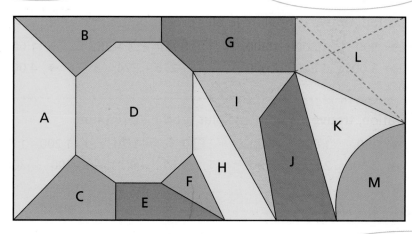

① Quelles figures de ce vitrail ne sont pas des polygones ?

② Quelle figure est un triangle ? Un octogone ?
Quelles figures sont des quadrilatères ? Des pentagones ?

③ Un polygone possède-t-il autant de sommets que de côtés ?

④ **Reproduis** à main levée les polygones A, G et D.
Puis **trace** leurs diagonales.

⑤ Dans ce vitrail, quel polygone n'a pas de diagonale ?

⑥ Deux polygones ont une diagonale à l'extérieur de leur contour. Lesquels ?

Un polygone est une ligne brisée fermée.

Ligne brisée ouverte

Ligne brisée fermée

L'essentiel

Définir

Un **polygone** est une ligne brisée fermée. Tous les côtés d'un polygone sont des segments. Les polygones ont autant de côtés que de sommets.

Une **diagonale** joint deux sommets qui ne sont pas reliés par un côté.

Nommer

Nombre de côtés et de sommets	3	4	5	6	8
Nom des polygones	triangle	quadrilatère	pentagone	hexagone	octogone

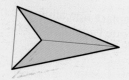

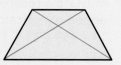

Les diagonales ne sont pas toujours à l'intérieur des polygones.

■ S'exercer

1 Quelles figures sont des polygones ?

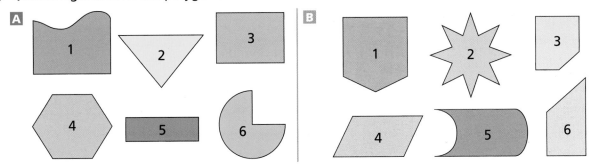

2 Quelles figures sont des quadrilatères ?

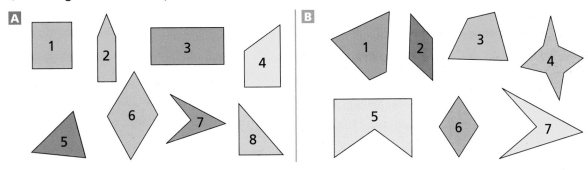

■ Résoudre

3 Problème guidé

Nomme les figures ci-dessous en utilisant les mots : quadrilatère, pentagone, hexagone.

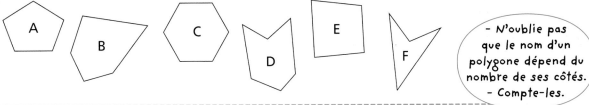

– N'oublie pas que le nom d'un polygone dépend du nombre de ses côtés.
– Compte-les.

4 **Reproduis** ces 2 polygones à main levée et **trace** en rouge leurs diagonales.

5 Neuf-Brisach est une ville créée en 1697 dans la plaine d'Alsace par Vauban. Cette ville est protégée par de multiples remparts (en vert sur ce plan).
Quelle est la forme géométrique :
– de la ville qui se trouve à l'intérieur des remparts ?
– de sa place centrale (en gris) ?

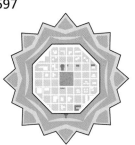

Le coin du chercheur

L'octogone rouge a-t-il un périmètre plus grand que celui du carré ?

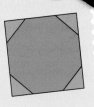

Périmètre du carré et du rectangle

COMPÉTENCES : Connaître et utiliser les formules de calcul du périmètre du carré et du rectangle.

Activités de recherche

1 **Mesure**, en centimètres, le périmètre du carré et celui du rectangle.

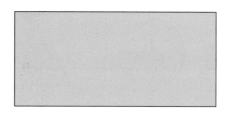

> Mesurer le périmètre d'une figure, c'est mesurer la longueur du tour de cette figure.

Recopie et **complète** :
Le tour du carré, c'est ... fois un côté.
Le tour du rectangle, c'est ... fois la longueur et ... fois la largeur.

2 **Lis** les énoncés.

Thomas veut entourer son potager carré de 15 m de côté avec une barrière. Quelle longueur de barrière lui faut-il ?

Camille possède un jardin rectangulaire de 35 m de long et 20 m de large. Quelle longueur de barrière lui faut-il pour entourer son jardin ?

• La longueur de la barrière correspond-elle au périmètre du carré ?

• **Calcule** le périmètre du potager carré.

• La longueur de la barrière correspond-elle au périmètre du rectangle ?

• **Calcule** le périmètre du jardin rectangulaire.

> Tu ne peux pas mesurer les périmètres.
> Mais tu peux les calculer en utilisant les formules de **L'essentiel**.

L'essentiel

Périmètre du carré

2 cm

2 cm — 2 cm

2 cm

Périmètre du rectangle

5 cm

2 cm — 2 cm

5 cm

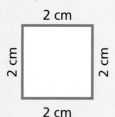

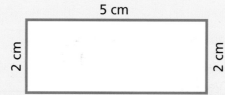

> Pour calculer le périmètre d'un rectangle, tu peux aussi utiliser la formule :
> $P = (L \times 2) + (l \times 2)$

Périmètre = côté × 4
$P = c \times 4$
$P = 2 \text{ cm} \times 4 = 8 \text{ cm}$

Périmètre = (Longueur + largeur) × 2
$P = (L + l) \times 2$
$P = (5 \text{ cm} + 2 \text{ cm}) \times 2 = 7 \text{ cm} \times 2 = 14 \text{ cm}$

■ S'exercer --

Utiliser les formules de calcul du périmètre

1 Pour chaque carré, **mesure** la longueur d'un côté
puis **calcule** le périmètre.

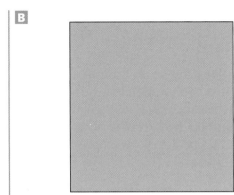

2 Pour chaque rectangle, **mesure** la longueur et la largeur puis **calcule** le périmètre.

3 **Calcule** le périmètre d'un terrain de sport.

A Un terrain de football mesure
100 m de long et 50 m de large.

B Un terrain de basket mesure 28 m de long
et 15 m de large.

■ Résoudre --

4 Problème guidé

Roumaïssa veut entourer son cadre photo carré de 24 cm
de côté avec un ruban rouge qui mesure 92 cm.
Aura-t-elle assez de ruban ?

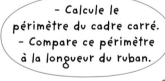

– Calcule le
périmètre du cadre carré.
– Compare ce périmètre
à la longueur du ruban.

5 Un éleveur veut entourer un pré rectangulaire de 350 m
de long et de 68 m de large avec une clôture électrique.
Quelle longueur de clôture doit-il acheter ?

6 **Calcule** le périmètre de chaque figure.

Tu vas avoir
une surprise.

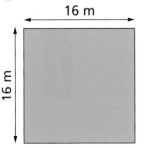

16 m

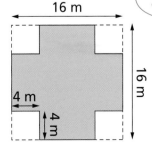

16 m

4 m

4 m

16 m

Le coin du cherch**eur**

Lorsque trois droites
se coupent deux à deux,
combien peut-on
avoir de points
d'intersection ?

Mobilise tes connaissances ! (1)

Les dinosaures

Un très long règne

Les dinosaures constituent un groupe de vertébrés qui a connu une évolution considérable au Mésozoïque : ils sont apparus au début du Trias et se sont éteints à la fin du Crétacé, il y a environ 65 millions d'années.

Évènement	Date
Âge de la Terre	4 600 000 000
Apparition de la vie	3 500 000 000
Premiers poissons	500 000 000
Premiers insectes	400 000 000
Premiers reptiles	300 000 000
Premiers mammifères	202 000 000
Premiers oiseaux	150 000 000
Premiers hommes	2 400 000

1. Observe les événements que les scientifiques situent approximativement aux dates qui figurent dans ce tableau.
Écris en lettres la date d'apparition de la vie, des premiers mammifères, des premiers hommes.

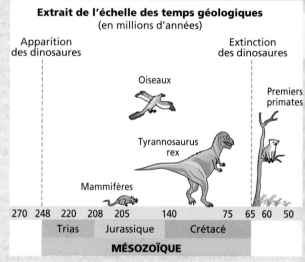

Extrait de l'échelle des temps géologiques
(en millions d'années)

Apparition des dinosaures

Extinction des dinosaures

Oiseaux

Premiers primates

Tyrannosaurus rex

Mammifères

270   248   220   208   205   140   75   65   60   50

Trias   Jurassique   Crétacé

MÉSOZOÏQUE

2. Écris en chiffres la date d'apparition et la date d'extinction des dinosaures.

3. Pendant combien de temps les dinosaures ont-ils existé ?

Plusieurs hypothèses sont énoncées par les scientifiques pour expliquer l'extinction des dinosaures : chute d'une météorite, super volcan…
Par exemple, une météorite de 10 km de diamètre a creusé, au Mexique, un énorme cratère : son diamètre est 17 fois plus grand que celui de la météorite.

4. Quelle est la longueur du diamètre de ce cratère ?

http://dinonews.net/

À la recherche des fossiles

Le paléontologue* cherche des traces de dinosaures.
Il fouille minutieusement un site avec divers outils :
piochon, truelle, pic, pinceau…
Chaque fossile découvert est repéré sur un plan grâce
au quadrillage : ses coordonnées sont notées.
Une règle d'échelle est posée à côté du fossile avant
de le prendre en photo.

5. Observe le quadrillage de cette fouille. Le côté d'un petit carré est égal à 10 cm. Quel est le périmètre de ce quadrillage ?

Le gigantisme des dinosaures

À notre époque, le poids d'un éléphant est multiplié
par 25 de sa naissance à l'âge adulte. À l'époque
des dinosaures, le poids d'un diplodocus était multiplié
par 2 500 de sa naissance à l'âge adulte !
En Charente, des scientifiques ont récemment découvert
un fémur* de dinosaure de 2 m 30 cm de long !

6. Si un bébé diplodocus pèse environ 5 kg à sa naissance, quel sera son poids à l'âge adulte ?

7. Écris, en cm, la longueur du plus grand fémur du monde.

8. D'après le graphique ci-dessous, combien mesurait *Tyrannosaurus rex* de la tête à la queue ?

* paléontologue : scientifique qui étudie les restes fossiles des êtres vivants du passé.
* fémur : os de la cuisse.

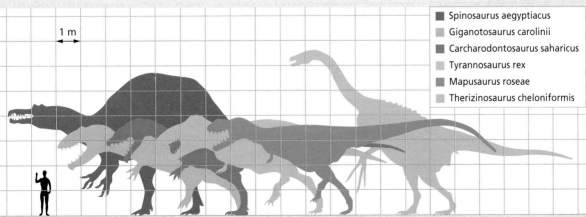

1 m

- Spinosaurus aegyptiacus
- Giganotosaurus carolinii
- Carcharodontosaurus saharicus
- Tyrannosaurus rex
- Mapusaurus roseae
- Therizinosaurus cheloniformis

Pour chaque exercice, reco[...]
la bonne réponse **A**, **B** ou [...]

■ Nombres

		A	B	C	Aide
1	Écris en chiffres : quatre cent trois mille cinq.	43 305	403 005	400 003 005	
2	Écris le précédent du nombre 1 500 000.	1 490 000	1 499 000	1 499 999	
3	$(7 \times 1\,000\,000) + (5 \times 10\,000) + (3 \times 100) = \ldots$	7 050 300	7 503 000	750 300	Leçon 1 L'essenti[...] Exercices 1, 4, 5
4	Range dans l'ordre croissant : 78 253 600 ; 7 953 000 ; 9 000 850.	7 953 000 78 253 600 9 000 850	78 253 600 9 000 850 7 953 000	7 953 000 9 000 850 78 253 600	
5	Le nombre 3 857 640 s'intercale entre les nombres :	3 800 000 et 3 850 000	3 800 000 et 3 900 000	3 400 000 et 3 700 000	
6	Écris en lettres : 2 103 000 102.	Deux millions cent trois mille cent deux	Deux milliards cent trois millions cent deux	Vingt et un millions trois mille cent deux	Leçons 1 et 13 L'essenti[...] Exercices 2, 5
7	Quand on ajoute 2 unités de millions et 3 dizaines de milliers au nombre 13 205 000, on trouve :	16 207 000	15 505 000	15 235 000	
8	Arrondis 147 643 au millier le plus proche.	147 000	147 600	148 000	Leçon 14 L'essenti[...] Exercice 1B, 2
9	Trouve l'ordre de grandeur du résultat : 398 + 289 + 187.	900	700	800	

■ Grandeurs et mesure

		A	B	C	Aide
10	Convertis 12 km 5 dam en mètres.	1 250 m	12 050 m	12 500 m	Leçon 5 L'essenti[...] Exercice
11	Convertis 2 m 8 cm en centimètres.	28 cm	280 cm	208 cm	
12	Convertis 150 000 m en kilomètres.	15 km	150 km	1 km 500 m	
13	Le périmètre d'un carré de 15 m de côté est :	30 m	60 m	45 m	Leçon 1[...] L'essenti[...] Exercice 1, 2, 3
14	Le périmètre d'un rectangle de 35 m de long et 15 m de large est :	50 m	85 m	100 m	

Calcul

	A	B	C	Aide
Pose et effectue : 15 054 + 89 + 8 107 =	23 250	185 124	23 150	**Leçon 2** L'essentiel Exercices 2, 3
Pose et effectue : 5 243 – 3 875 =	1 468	2 478	1 368	
La solution de cette addition à trou : 548 + ? = 712 est donnée par l'opération :	712 + 548	548 – 712	712 – 548	**Leçon 4** L'essentiel Exercices 1, 5
Un bus transporte 28 passagers. Au premier arrêt, 14 passagers descendent et 8 autres passagers montent. Combien de passagers sont dans le bus lorsqu'il repart ?	50	22	34	
Pose et effectue : 543 × 56 =	30 408	28 098	30 518	**Leçon 7** Exercice 2
Pose et effectue : 784 × 605 =	50 960	474 320	46 340	**Leçon 8** Exercice 2

Géométrie

	A	B	C	Aide
Quelles droites sont perpendiculaires ?	La verte et la rouge	La verte et la violette	La bleue et la violette	**Leçon 3** L'essentiel Exercice 1
Quelles droites sont parallèles ?	La verte et la rouge	La verte et la violette	La bleue et la violette	**Leçon 6** L'essentiel Exercice 1
Laquelle de ces figures n'est pas un polygone ?				**Leçon 15** L'essentiel Exercices 1, 3
Quel est le nom de ce polygone ?	Hexagone	Pentagone	Quadrilatère	

■■■ LEÇON 1

1 **Écris** en chiffres :
cinq millions huit cent soixante mille ;
huit millions six mille deux cents ;
trente millions sept cent mille.

2 Quels nombres obtiens-tu lorsque tu ajoutes 1 à 999 999 ? À 1 000 099 ? À 1 000 999 ? À 1 999 999 ?

3 *Comme le problème guidé*
Au nombre 423 156, ajoute 3 dizaines de mille, 2 centaines et 2 dizaines.
Quel nombre obtiens-tu ?

■■■ LEÇON 2

4 **Calcule**
a. 3 458 + 12 846 + 74
b. 49 646 + 8 700 + 785
c. 465 576 + 687 + 10 864 + 47
d. 54 807 + 6 785 + 567 907 + 96

5 **Calcule**
a. 5 897 – 4 685   b. 24 870 – 7 950
c. 200 404 – 44 075   d. 2 508 700 – 648 074

6 Les mêmes fruits ont la même valeur. Trouve la valeur de chacun.

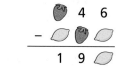

7 *Comme le problème guidé*
La trajectoire de la Lune autour de la Terre n'est pas tout à fait circulaire. Au cours d'une rotation, la distance Terre-Lune varie entre 365 500 km et 406 700 km. **Calcule** la différence entre ces deux distances.

■■■ LEÇON 3

8 À l'aide de ton équerre, **trouve** les droites perpendiculaires à la droite noire.

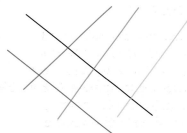

9 Sur chaque figure, les droites sont-perpendiculaires ?

Figure A   Figure B

■■■ LEÇON 4

10 Au début des vacances, le comp de la voiture des parents de Lucie indio 63 458 km. Durant les vacances, ils ont couru 856 km en voiture.
Combien de kilomètres le compteur indic t-il au retour de vacances ?

11 Le lundi matin, le compteur du taxi indi 36 945 km.
Le vendredi soir, il indique 37 612 km.
Combien de kilomètres ce taxi a parcourus ?

12 Léa et ses parents ont parcouru 458 en voiture. Quand ils arrivent chez eux compteur de leur voiture indique 85 125 Combien de kilomètres le compteur i quait-il au départ ?

13 *Comme le problème guidé*
Le train arrive en gare avec 245 voyage à son bord.
Quarante-deux voyageurs descendent train et vingt-huit nouveaux voyag montent dans le train. Quand le train rep combien de voyageurs transporte-t-il ?

■■■ LEÇON 5

14 **Complète** ces égalités.
a. 4 km = … m   ;   4 dam = … m   ;
4 hm = … m   ;   2 m = … mm   ;
2 dm = … mm   ;   2 cm = … mm
b. 7 km 6 dam = … m   ;
5 m 4 dm = … mm   ;   2 dm 5 cm = … ⱨ

15 **Range** ces longueurs par ordre croissant
a. 1 600 m   ;   2 km   ;   7 hm
b. 130 cm   ;   1 m 20 cm   ;   250 mm
c. 220 cm   ;   1 m 5 cm   ;   3 750 mm

Comme le problème guidé

Le parcours de la course se compose d'une ligne droite horizontale de 1 km, d'une montée de 15 hm, d'une descente de 500 m. Les coureurs réalisent deux fois ce parcours. Quelle distance parcourent-ils ?

Le tressage d'une semelle d'espadrille nécessite 5 m de corde. Chaque année, on fabrique 20 millions de paires d'espadrilles. Combien de kilomètres de corde utilise-t-on ?

▬ LEÇON 6

Dans la lettre majuscule ci-contre, les deux segments rouges sont parallèles.
Trouve 3 autres lettres majuscules ayant des segments parallèles.
Colorie ces segments en rouge.

À partir d'un point O, **trace** deux segments OB et OC.
Marque le point A milieu de OB et le point D milieu de OC.
Trace les droites AD et BC.
Que peux-tu dire de ces droites ?

Comme le problème guidé

Reproduis l'échelle.

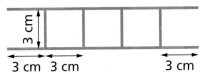

3 cm   3 cm   3 cm

▬ LEÇON 7

Calcule.
a. 354 × 17   b. 348 × 56
c. 468 × 47   d. 789 × 68

Comme le problème guidé

En un bond, une grenouille peut franchir 35 fois sa propre taille. Si un enfant mesurant 125 cm pouvait en faire autant, serait-il capable de traverser un terrain de football de 50 m, en un seul bond ?

▬ LEÇON 8

Calcule.
a. 256 × 105   b. 310 × 260
c. 824 × 2 008   d. 780 × 5 700

---

24 *Comme le problème guidé*

Le 27 août 1883, un garde-côte de Madagascar a entendu l'explosion du Krakatoa qui avait eu lieu quatre heures auparavant dans les îles de la Sonde. Le son parcourt 340 mètres par seconde.
À quelle distance du volcan, ce garde-côte se trouvait-il ?

▬ LEÇON 11

25 **Écris** en chiffres.
Quatre millions soixante-quinze mille
Sept millions cinq mille
Trente milliards six cents millions

26 **Quel** est le chiffre des unités de millions dans chacun des nombres suivants :
2 151 000 ; 154 600 000 ; 310 700 000 ?

27 *Comme le problème guidé*

Au nombre 43 758 620, j'ajoute 4 dizaines de millions, puis 2 centaines de mille.
Quel nombre ai-je obtenu ?

▬ LEÇON 13

28 **Écris** ces nombres dans l'ordre croissant.
652 850 000 ; 6 104 000 000 ;
648 702 000 ; 5 700 900 000

29 **Encadre** chacun de ces nombres :
985 430 000 ; 657 200 000 ; 9 542 000 000
entre deux nombres de millions consécutifs.

30 *Comme le problème guidé*

En 2011, la production mondiale de blé a été de 690 millions de tonnes, celle de maïs de 861 000 000 de tonnes et celle de soja de 256 400 000 tonnes.
Quelle a été la céréale la plus produite dans le monde en 2011 ?

▬ LEÇON 14

31 a. **Arrondis** le nombre 5 387 :
– à la dizaine la plus proche,
– à la centaine la plus proche.
b. **Arrondis** le nombre 29 806 999 :
– au millier le plus proche,
– au million le plus proche.

32 Sans poser l'opération, **trouve** le nombre le plus proche du résultat.

798 + 187	→	1 000	1 100	1 200
1 376 + 3 620	→	4 000	5 000	6 000
1 691 – 702	→	800	1 000	1 100
3 487 – 1 303	→	2 000	2 100	2 200

33 *Comme le problème guidé*

Charlotte aimerait acheter un Blu-ray qui coûte 32 € 99 et deux CD à 11 € 99 l'un. Elle possède un billet de 50 €.
« Tu n'as pas assez d'argent », lui dit son amie Mélanie. Mélanie a-t-elle raison ? **Trouve** la réponse sans poser d'opération.

■■■■ **LEÇON 15**

34 *Comme le problème guidé*

Nomme ces polygones en utilisant les mots : quadrilatère, pentagone, hexagone.

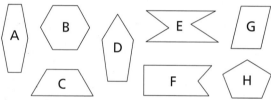

35 **Reproduis** ces polygones sur ton cahier puis **trace** leurs diagonales.

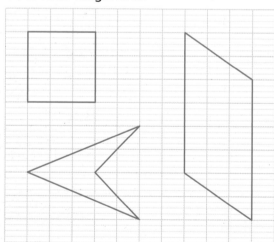

■■■■ **LEÇON 16**

36 **Complète**.

Rectangle	N° 1	N° 2
Longueur	45 cm	26 cm
largeur	34 cm	23 cm
Périmètre	…	…

37 Ilario installe une grille de protection à ... tout autour de cette piscine.
Quelle est la longueur de la grille ?

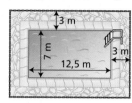

38 *Comme le problème guidé*

Thomas veut entourer sa feuille rect... gulaire de 29 cm de longueur et 20 cm ... largeur avec une ficelle qui mesure 95 cr... Aura-t-il assez de ficelle ?

39 Un champ carré de 25 m de côté est ... turé par un grillage. Un portail de 4... de largeur permet d'accéder à ce char... Quelle est la longueur du grillage ?

■ **Problèmes de recherche** - - -

40 Combien pèse :
– le chat ?
– le chien ?
– Louise ?

41 Combien pèse chaque fruit ?

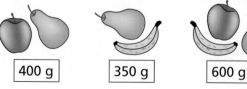

400 g   350 g   600 g

42 Un dictionnaire, un DVD et un stylo coûte... 40 €. Le dictionnaire et le DVD coûtent 32 ... le DVD et le stylo coûtent 21 €.
Quel est le prix de chaque objet ?

Période 2

Cherche dans le dessin des détails illustrant les notions étudiées dans la période.
Retrouve Mathéo la mascotte.

	Leçons		Leçons
Connaître la technique de la division posée.	18, 19, 32	• Résoudre un problème.	21, 26
		• Construire un tableau.	24
Reconnaître et utiliser les fractions.	23, 25, 29, 31	• Reconnaître, décrire et nommer les solides droits.	22
Comparer des angles.	28	• Compléter une figure par symétrie.	33
Mesurer une aire avec une unité arbitraire.	20	• Reconnaître et compléter un patron de cube ou de pavé.	30

Calcul réfléchi : diviser par un nombre d'un chiffre

COMPÉTENCE : Utiliser les multiples d'un nombre pour trouver le quotient et le reste d'une division.

▨▨▨ Activités de recherche

Observe, recopie et complète.

Comment diviser **79** par **6**, sans poser l'opération ?

Tu dois décomposer 79 en cherchant des multiples de 6.

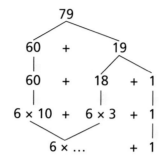

```
           79
      60   +   19
      60   +   18   +  1
   6 × 10  +  6 × 3  +  1
          6 × …      +  1
```

79 = (6 × …) + …

dividende   diviseur   **quotient**   reste

Le reste est toujours plus petit que le diviseur.

L'essentiel

Pour diviser 75 par 6, on cherche le plus grand multiple de 6 inférieur à 75.
Pour le trouver, on décompose 75 à l'aide de multiples de 6.

$$75 = \quad 60 \quad + \quad 12 \quad + 3$$
$$75 = (6 × 10) + (6 × 2) + 3$$
$$75 = (6 × 12) + \quad 3$$

75 divisé par 6 : le quotient est **12** ; le reste est **3**.
Le reste 3 est inférieur au diviseur 6.

Banque d'**Exercices** et de **Problèmes** nᵒˢ 1 à 3 p. 76.

▨▨▨ S'exercer

Utiliser les multiples pour calculer un quotient

1

A **Cherche** le plus grand multiple de 8 inférieur à 50.
Utilise ce résultat pour compléter l'égalité.
50 = (8 × …) + …
Quel est le quotient de 50 divisé par 8 ?
Quel est le reste ?

B **Cherche** le plus grand multiple de 8 inférieur à 76.
Utilise ce résultat pour compléter l'égalité.
76 = (8 × …) + …
Quel est le quotient de 76 divisé par 8 ?
Quel est le reste ?

2 **Calcule** comme Léa en utilisant les multiples du diviseur.

A 41 divisé par 5   ;   40 divisé par 3

B 69 divisé par 5   ;   87 divisé par 4

▨▨▨ Résoudre

3 Problème guidé

La médiathèque dispose de 180 € pour acheter des DVD à 9 € l'un.
Combien de DVD peut-elle acheter ?

– Décompose d'abord 180 en multiples de 9.
– Écris l'égalité en repérant le quotient et le reste.

4 Le professeur de golf distribue 170 balles à ses 8 élèves.
Combien de balles aura chaque élève ?
Combien de balles ne seront pas distribuées ?

La division posée : un chiffre au diviseur

COMPÉTENCE : Trouver le quotient et le reste d'une division euclidienne de deux entiers en posant l'opération.

Calcul mental

Multiplications à trou.
En 54, combien de fois 6 ?
En 72, combien de fois 9 ?

Activités de recherche

1 Observe, **recopie** et **complète**.

Dans une usine, une machine emballe 647 canettes de jus de pomme et 159 canettes de jus d'orange, par packs de 6. Combien de packs de chaque boisson obtient-on ?

Le quotient de 647 par **6** est **107** et il reste **5**. Je vérifie l'opération : **647 = (6 × 107) + 5**

```
        6 4 7 │ 6
6 × 1 → − 6   │ 1 0 7
        0 4   │
6 × 0 → −   0 │
          4 7 │
6 × 7 → − 4 2 │
          0 5 │
```

```
          1 5 9 │ 6
6 × 2 → − 1 2   │ 2 ...
          0 3 ...│
6 × ... → −  ... ...│
              ... ...│
```

Vérifie l'opération : **159 = (6 × ...) + ...**

2 Une autre machine emballe 100 canettes de jus d'ananas par packs de 6. Combien de packs obtient-on ? **Pose** l'opération puis **rédige** la réponse.

Banque d'Exercices et de Problèmes n°s 4 à 6 p. 76.

S'exercer

Utiliser l'algorithme de la division par un nombre de 1 chiffre

1 Pose, **effectue** puis **vérifie** en écrivant l'égalité correspondante.

A 98 divisé par 5 ; 67 divisé par 3
98 = (5 × ...) + ... ; 67 = (3 × ...) + ...

B 614 divisé par 3 ; 705 divisé par 8
614 = (3 × ...) + ... ; 705 = (8 × ...) + ...

2 **Trouve** le quotient et le reste de ces divisions.

A 72 divisé par 4 ; 86 divisé par 7

B 123 divisé par 6 ; 531 divisé par 5.

Résoudre

3 Problème guidé

Lucie possède 127 images. Elle colle 9 images sur chaque page de son album.
Combien de pages complètes a-t-elle remplies ?
Combien d'images lui reste-t-il ?

— Tu dois prendre 2 chiffres au dividende.
— Vérifie pour chaque calcul intermédiaire que le reste est inférieur à 9.

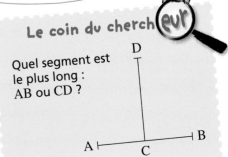

4 280 joueurs participent à un tournoi de football à 6.
Combien d'équipes seront constituées ?

Le coin du chercheur

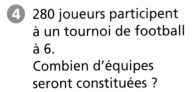

Quel segment est le plus long : AB ou CD ?

Mesurer des aires avec une unité arbitraire

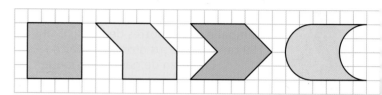

COMPÉTENCES : Mesurer l'aire d'une surface grâce à l'utilisation d'un réseau quadrillé.
Ranger des surfaces suivant leur aire.

Activités de recherche

1 Ces figures ont-elles la même aire ?
Comment le vérifier ?

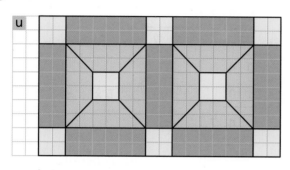

2 Avec le carreau **u** comme unité, l'aire d'une dalle jaune est 4 u.

Quelle est l'aire :
– d'une dalle bleue ?
– d'une dalle orange ?
– de tout le pavage ?

3 **Trouve** l'aire de la figure verte.
En prenant l'aire d'un carreau de ton cahier comme unité,
trace 3 figures ayant la même aire que la figure verte :
un rectangle, un triangle, un polygone quelconque.

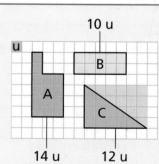

L'essentiel

Mesurer

L'aire d'une figure s'exprime à l'aide d'une unité d'aire.

Ci-contre l'aire d'un carreau est l'unité d'aire u.

La figure A compte 14 carreaux ; Aire = 14 u.

La figure B est un rectangle de 10 carreaux (2 × 5 = 10) ; Aire = 10 u.

La figure C est la moitié d'un rectangle de 24 carreaux (6 × 4 = 24) ;
Aire = 24 u ÷ 2 = 12 u.

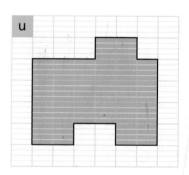

Ranger

On range les aires des figures dans l'ordre de leur mesure.

10 u < 12 u < 14 u   donc   Aire de B < Aire de C < Aire de A

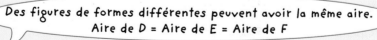

Des figures de formes différentes peuvent avoir la même aire.
Aire de D = Aire de E = Aire de F

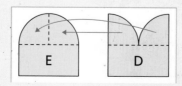

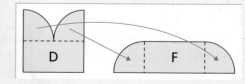

S'exercer

1 Quelles figures ont la même aire ?

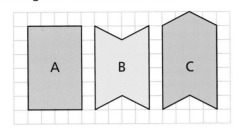

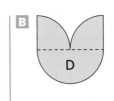

Les cercles ont le même rayon.

Mesurer une aire, ranger des figures suivant leur aire

2 **Mesure** l'aire de ces figures avec l'unité u, puis **range**-les dans l'ordre croissant.

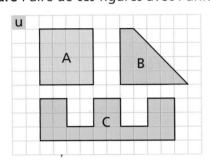

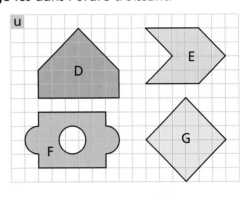

Tracer des figures ayant la même aire qu'une figure donnée

3 **Reproduis** ce parallélogramme sur ton cahier.
Mesure son aire avec l'unité u.
Trace un rectangle puis un triangle
de même aire que ce parallélogramme.

Résoudre

– Reproduis cette
figure à main levée.
– Trace le segment EF.
– Compare les aires des quatre
triangles obtenus.

4 Problème guidé

Observe la figure ci-contre.
Le point E est le milieu du segment BC.
Le point F est le milieu du segment AD.
Compare les aires coloriées en jaune et en rose.

5 Tous ces drapeaux ont la même aire.
Sur quels drapeaux les parties rouges ont-elles la même aire ?

France
Allemagne
Pologne
Belgique
Groenland

Le coin du cherch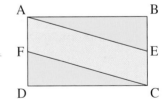

Un berger a un bidon de 5 L
plein de lait. Un randonneur
lui demande un litre de lait.
Le berger dispose d'un grand seau
et d'une bouteille de 2 L vides.
Comment procède-t-il ?

---

6 L'unité d'aire est le carreau de ton cahier.
• **Trace** un carré d'aire égale à 16 u.
• **Trace** ensuite un rectangle de même aire.

Situations multiplicatives ou de division

COMPÉTENCES : Distinguer des situations multiplicatives ou de division et les résoudre.

Activités de recherche

Lis les énoncés des problèmes.

> **1.** Cinq amis se partagent 60 figurines. Combien chacun en aura-t-il ?

> **2.** Dans son classeur, Nejma a rangé 5 pochettes contenant chacune 60 cartes. Combien de cartes a-t-elle rangées ?

> **3.** Raphaël a acheté 5 sucettes à 60 c l'une ? Quelle somme a-t-il dépensée ?

> **4.** Adrien range ses 60 maquettes sur 5 étagères. Sur chaque étagère, il y a le même nombre de maquettes. Combien de maquettes sont exposées sur chaque étagère ?

> **5.** La maîtresse a distribué 60 feuilles à un groupe d'élèves. Chaque élève en a reçu 5. À combien d'élèves a-t-elle distribué les feuilles ?

> *Quelle opération dois-je effectuer : une multiplication ou une division ?*

Classe en deux colonnes les problèmes que tu peux résoudre en effectuant une division et les problèmes que tu peux résoudre en effectuant une multiplication.

Calcule puis **rédige** les réponses.

L'essentiel

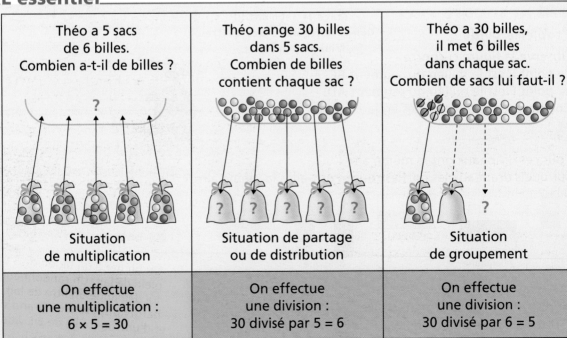

Théo a 5 sacs de 6 billes. Combien a-t-il de billes ?	Théo range 30 billes dans 5 sacs. Combien de billes contient chaque sac ?	Théo a 30 billes, il met 6 billes dans chaque sac. Combien de sacs lui faut-il ?
Situation de multiplication	Situation de partage ou de distribution	Situation de groupement
On effectue une multiplication : 6 × 5 = 30	On effectue une division : 30 divisé par 5 = 6	On effectue une division : 30 divisé par 6 = 5

■ S'exercer

Distinguer des situations multiplicatives ou de division

Dans quels exercices devras-tu effectuer une division ?
Une multiplication ?
Pour chaque exercice, **calcule** puis **rédige** les réponses.

Tu peux utiliser ta calculatrice.

1 **A** Antoine répartit 28 timbres dans 4 enveloppes. Combien de timbres chaque enveloppe contiendra-t-elle ?

B Louise range 240 images dans son album. Elle en place 12 par page. Combien de pages remplit-elle ?

2 **A** Konaté possède 5 pochettes. Chaque pochette contient 15 images. Combien d'images possède-t-il ?

B Un livreur a rangé 25 cartons de 18 bouteilles de jus de pomme dans sa camionnette. Combien de bouteilles transporte-t-il ?

3 **A** La maîtresse distribue 4 feuilles par élève. Elle utilise 104 feuilles en tout. Quel est le nombre d'élèves de la classe ?

B La maîtresse distribue équitablement 150 feuilles de papier dessin à 25 élèves. Combien de feuilles reçoit chaque élève ?

■ Résoudre

4 Problème guidé

La fermière range 72 œufs dans des boîtes de 6. Combien de boîtes peut-elle remplir ?

Ranger 72 œufs dans des boîtes de 6, c'est réaliser des groupements de 6 œufs.

5 Vingt personnes doivent se partager le prix du repas au restaurant qui s'élève à 340 €. Quelle somme chacun devra-t-il payer ?

Socle 2 commun

6 The florist prepares 37 bouquets. Each bouquet contains 12 roses. How many roses does he need?

7 532 personnes ont payé chacune 25 € une place de concert. Combien d'argent la vente des places a-t-elle rapporté ?

8 Au musée, un groupe de touristes paie 432 €. Le prix d'entrée est de 8 € par personne. Quel est le nombre de personnes dans ce groupe ?

Le coin du chercheur

Combien de cubes de 1 cm d'arête faut-il assembler pour obtenir un cube de 3 cm d'arête ?

Les solides usuels

COMPÉTENCES : Reconnaître, décrire et nommer des solides usuels.

Activités de recherche -

① Les solides géométriques
Parmi cette collection de solides, lesquels reconnais-tu ?
Nomme-les.

> Dans ton livre, les solides sont représentés à plat.
> Dans la réalité, ils occupent un espace ayant une longueur, une largeur, une hauteur.
> Les solides sont des objets qui ont trois dimensions (3D).

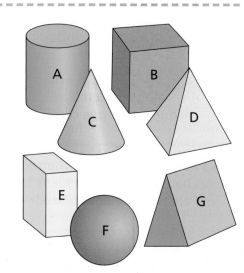

② Cube et pavé
Quelle est la forme des faces d'un cube ? D'un pavé ?
Combien de faces possède un cube ? Un pavé ?
Combien d'arêtes possède un cube ? Un pavé ?
Combien de sommets possède un cube ? Un pavé ?

③ Prisme droit à base triangulaire
Quelle est la forme des faces latérales
d'un prisme à base triangulaire ?
Combien de faces possède-t-il ?
Combien possède-t-il d'arêtes ? de sommets ?

④ Pyramide
Quelle est la forme des faces latérales
d'une pyramide à base carrée ?
Combien de faces possède-t-elle ?
Combien possède-t-elle d'arêtes ? de sommets ?

L'essentiel

Les **pavés droits** ont 6 faces carrées ou
rectangulaires, 8 sommets, 12 arêtes.
Les **cubes** sont des pavés droits dont
toutes les faces sont des carrés.

Face   Sommets   Arêtes

Les **prismes droits** possèdent :
– deux faces opposées qui sont
des polygones superposables :
ce sont ses bases ;
– des faces latérales qui sont
des carrés ou des rectangles.

Bases   Faces latérales   Bases

Les **pyramides** possèdent :
– une seule base ;
– des faces latérales qui sont toutes des triangles ;
– un sommet principal.

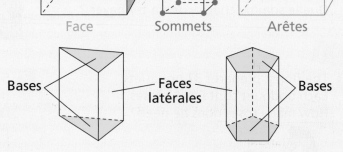

Sommet principal

Faces latérales

Base

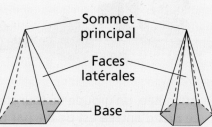

> Le cylindre, le cône et la boule sont des corps ronds : ils peuvent rouler.
> Le cylindre possède 2 bases qui sont des disques superposables.

■ S'exercer

1 Nomme chaque solide.

A

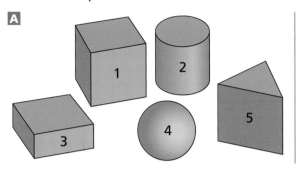

B

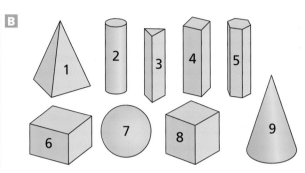

---

2 A **Qui suis-je ?**

1. Mes six faces sont des rectangles.

2. Mes six faces sont des carrés.

3. Je possède deux disques et je peux rouler.

4. J'ai deux bases triangulaires et des faces rectangulaires.

B **Qui suis-je ?**

1. Mes six faces sont des carrés.
Combien ai-je d'arêtes ?

2. Je suis une pyramide à base carrée.
Combien ai-je de faces latérales ?

3. J'ai deux bases triangulaires et des faces rectangulaires. Combien ai-je de sommets ?

■ Résoudre

3 Problème guidé

Tanguy a collé un ruban vert sur chaque arête de cette boîte en forme de pavé droit.
Quelle longueur totale de ruban a-t-il utilisée ?

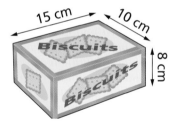

— Combien vois-tu d'arêtes
sur la boîte ci-contre ?
— Combien d'arêtes sont cachées ?
— Combien, cette boîte, a-t-elle d'arêtes
de 15 cm? De 10 cm? De 8 cm?

---

4 • Combien de faces latérales possède une pyramide quand sa base est :
– un triangle ?
– un pentagone ?
• Une pyramide possède 6 faces latérales.
Quelle est la forme de sa base ?

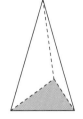

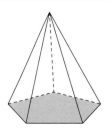

---

5 Le pâtissier coupe un pavé de beurre en deux en suivant les pointillés rouges.
Il obtient deux solides identiques.
Nomme-les.

Le coin du cherch**eur**

Dans cette figure,
combien d'allumettes
faut-il enlever
au minimum
pour n'obtenir
plus que
2 carrés ?

Fractions simples (1)

COMPÉTENCES : Nommer les fractions simples. Utiliser ces fractions dans des cas simples de partage ou de codage de mesure de grandeurs. Ajouter deux fractions simples de même dénominateur.

Activités de recherche

Prends 3 feuilles identiques de papier uni.

1️⃣ **Écris** « u » sur l'une des feuilles : c'est l'unité.

U

2️⃣ **Prends** une autre feuille. **Plie**-la en quatre parties égales comme l'indique la figure 1.
Déplie la feuille et **colorie** l'une de ces parties en bleu.
À quelle fraction de la feuille correspond l'aire coloriée en bleu ?
Écris cette fraction.
À quelle fraction de la feuille correspond la partie non coloriée ?
Écris cette fraction.

fig. 1

$\dfrac{1}{2}$ $\leftarrow$ numérateur
$\phantom{\dfrac{1}{2}}$ $\leftarrow$ dénominateur

3️⃣ **Plie** maintenant la dernière feuille en huit parties égales.
Colorie-la comme sur la figure 2.
À quelle fraction correspond la partie coloriée en jaune ?
Écris cette fraction. Combien de parties jaunes faut-il pour recouvrir la partie bleue (fig. 1) ?
Utilise la réponse précédente pour compléter l'égalité : $\dfrac{1}{4} = \dfrac{...}{8}$.

fig. 2

4️⃣ **Découpe** les deux feuilles (figures 1 et 2) selon les plis, puis **assemble** les morceaux pour construire des figures qui ont une aire :

• égale à 1 u   ;   • égale à $\dfrac{5}{4}$ u   ;   • égale à $\dfrac{9}{8}$ u.

L'essentiel

Nommer

Si on partage l'unité :	en 2 parties égales, le dénominateur est 2, on obtient des demis.	en 3 parties égales, le dénominateur est 3, on obtient des tiers.	en 4 parties égales, le dénominateur est 4, on obtient des quarts.	en 5 parties égales le dénominateur est 5, on obtient des cinquièmes.
1	$\dfrac{1}{2}$	$\dfrac{2}{3}$	$\dfrac{3}{4}$	$\dfrac{3}{5}$

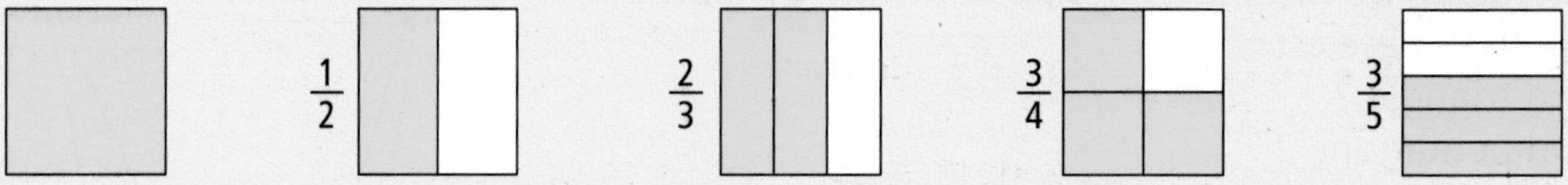

Utiliser

Si le numérateur est inférieur au dénominateur la fraction est inférieure à 1 : $\dfrac{2}{5} < 1$

Si le numérateur est égal au dénominateur la fraction est égale à 1 : $\dfrac{5}{5} = 1$

Si le numérateur est supérieur au dénominateur la fraction est supérieure à 1 : $\dfrac{7}{5} > 1$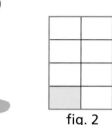

Ajouter $\dfrac{1}{5} + \dfrac{2}{5} = \dfrac{3}{5}$ 1 cinquième + 2 cinquièmes = 3 cinquièmes

Pour ajouter deux fractions de même dénominateur, on additionne uniquement les numérateurs.

▪▪▪ S'exercer

Nommer les fractions simples

❶ Écris en chiffres.

 deux tiers ; un quart ; deux cinquièmes | trois cinquièmes ; un tiers ; trois huitièmes

---

Utiliser les fractions dans des cas de partage ou de codage

❷ L'unité d'aire est l'aire du carré ci-contre bordé de rouge.
Pour chacune des figures, **écris** une fraction correspondant à la partie coloriée.

U

 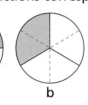

a   b   c   d   e

---

❸ L'unité d'aire est l'aire du disque.
Pour chaque disque, **écris** 2 fractions correspondant à l'aire coloriée comme dans l'exemple.

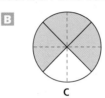 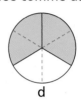 

$\frac{1}{2} = \frac{2}{4}$ a   b   c   d   e

Ajouter des fractions

❹ Calcule selon l'exemple.

 $\frac{1}{5} + \frac{3}{5} = \frac{4}{5}$ $\frac{1}{6} + \frac{1}{6} = \frac{...}{...}$; $\frac{1}{4} + \frac{2}{4} = \frac{...}{...}$; $\frac{3}{7} + \frac{5}{7} = \frac{...}{...}$

Comparer une fraction à l'unité

❺ Parmi ces fractions : $\frac{4}{5}$; $\frac{2}{2}$; $\frac{8}{10}$; $\frac{5}{3}$; $\frac{3}{2}$; $\frac{5}{5}$; $\frac{8}{4}$; lesquelles sont :

a. plus petites que 1 ?   **b.** égales à 1 ?   **c.** plus grandes que 1 ?

▪▪▪ Résoudre

❻ Problème guidé

Noémie a préparé 2 gâteaux.
Un gâteau représente l'unité.
Elle partage chaque gâteau en 8 parts égales.
Ses invités mangent 13 parts.
a. Écris une fraction correspondant au nombre de parts mangées.
b. Écris une fraction correspondant au nombre de parts qui restent.

Tu peux dessiner les gâteaux découpés, colorier les parts qui sont mangées. Un gâteau représente l'unité : le nombre de parts découpées dans le gâteau correspond au dénominateur.

Socle commun 5

❼ L'unité d'aire est l'aire de chaque drapeau.
Pour chaque drapeau, **écris** une fraction correspondant à l'aire de la partie rouge.

Bulgarie

Groenland

France

Île Maurice

Le coin du chercheur

Combien de petits cubes a-t-on utilisés pour réaliser ces deux tunnels ?

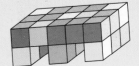

Autriche

24 Organiser des données

Calcul mental

Reste de la division par 2 de :

57 ; 64...

COMPÉTENCES : Organiser des informations.
Lire, interpréter et construire quelques représentations simples : tableaux, graphiques.

Activités de recherche

Le directeur d'une scierie a noté le nombre de stères de bois qu'il a livrés cette semaine :

Lundi : 4 stères de chêne, 13 stères de hêtre, 8 stères de frêne.
Mardi : 6 stères d'orme, 16 stères de châtaignier, 9 stères de chêne.
Mercredi : 10 stères de pin, 8 stères de chêne, 7 stères de frêne.
Jeudi : 17 stères de hêtre, 11 stères de chêne, 6 stères de pin.
Vendredi : 14 stères de châtaignier, 4 stères d'orme, 8 stères de chêne et 9 stères de pin.

un stère de bois

1 mètre / 1 mètre / 1 mètre

1 **Reproduis** le tableau et **complète-le** en y plaçant les informations ci-dessus.

	Lu	Ma	Me	...	...	Total
Chêne	4					
Hêtre	13					
...						
...						
...						
...						
Total						

Les informations organisées dans un tableau sont plus faciles à lire et à exploiter.

2 **Complète** la ligne et la colonne « Total ».

3 Dans la semaine, combien a-t-il livré :
de stères de chêne ? de stères de hêtre ? de stères en tout ?

4 Pour comparer rapidement les quantités des différents bois, le directeur a commencé le graphique ci-dessous. **Reproduis**-le sur ton cahier et **termine**-le.

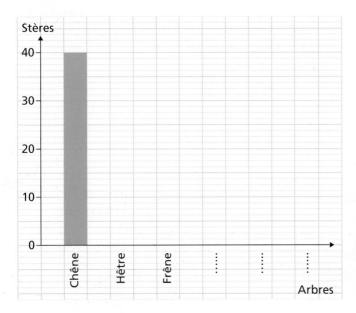

1 Afin d'établir l'emploi du temps pour les activités ci-dessous, le directeur de l'école demande aux élèves de chacune des cinq classes de proposer leur calendrier.
Voici leurs réponses :

Piscine

Bibliothèque

Salle informatique

Gymnase

Après discussion, voici les souhaits des élèves du CM1

Lundi AM : informatique
Mardi matin : piscine
Mardi AM : bibliothèque
Jeudi AM : gymnase

CE1
Lundi AM : gymnase
Mardi matin : bibliothèque
Jeudi matin : informatique
Vendredi matin : piscine

CP
Jeudi AM : informatique
Lundi AM : piscine
Jeudi matin : bibliothèque
Mardi matin : gymnase

Monsieur le Directeur,
Nous souhaitons
– la salle informatique le vendredi matin
– la piscine le jeudi après-midi
– la bibliothèque le lundi après-midi
– le gymnase le vendredi après-midi
Les élèves du CM2

Au CE2, nous aimerions aller
– à la piscine le vendredi AM
– au gymnase le mardi AM
– à la bibliothèque vendredi matin
– à la salle informatique le mardi matin

a. Le directeur regroupe toutes ces informations dans un tableau.
Recopie-le et **complète**-le.

Le directeur a déjà rempli le tableau pour les CM2.

	Piscine	Gymnase	Informatique	Bibliothèque
Lundi matin	Réservé séniors			
Lundi après-midi				CM2
Mardi matin				
Mardi après-midi				
Jeudi matin				
Jeudi après-midi	CM2			
Vendredi matin			CM2	
Vendredi après-midi		CM2		

b. Est-ce que deux classes veulent utiliser la même salle au même moment ?

c. Les CM2 souhaitent aller une deuxième fois à la salle informatique.
Quels jours le directeur peut-il leur proposer ?

d. Les CP souhaitent se rendre une deuxième fois à la bibliothèque.
Quels jours le directeur peut-il leur proposer ?

e. Le directeur apprend que la piscine n'est pas libre le vendredi.
Quelles classes devront modifier leur emploi du temps ?
Quand pourront-elles aller à la piscine ?

Le coin du chercheur

Quels dominos possèdent un seul axe de symétrie ?

Fractions simples (2)

COMPÉTENCES : Écrire une fraction sous forme de somme d'un entier et d'une fraction inférieure à 1.
Encadrer une fraction simple entre deux entiers consécutifs.

Activités de recherche

Comment écrire la longueur de chacune de ces bandes avec l'unité u ?

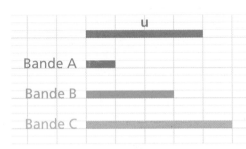

Bande A
Bande B
Bande C

Écris les longueurs des bandes sous forme de fractions de l'unité.

Reproduis la droite graduée ci-dessous.

Places-y les fractions $\dfrac{1}{4}$; $\dfrac{3}{4}$; $\dfrac{4}{4}$; $\dfrac{5}{4}$; $\dfrac{8}{4}$; $\dfrac{11}{4}$.

L'unité est partagée en 4 parties égales. La première graduation correspond à $\dfrac{1}{4}$.

Parmi ces fractions, lesquelles sont des nombres entiers ?

Extrais la partie entière des fractions $\dfrac{5}{4}$ et $\dfrac{11}{4}$ puis **complète** : $\dfrac{5}{4} = ... + \dfrac{1}{4}$; $\dfrac{11}{4} = ... + \dfrac{3}{4}$

Écris sous la forme d'une fraction : $1 + \dfrac{2}{4}$; $2 + \dfrac{3}{4}$; $3 + \dfrac{1}{4}$

Encadre les fractions ci-dessous entre deux entiers consécutifs.

$... < \dfrac{5}{4} < ...$; $... < \dfrac{1}{4} < ...$; $... < \dfrac{9}{4} < ...$

L'essentiel

Placer des fractions sur une droite graduée

Pour placer les fractions $\dfrac{2}{5}, \dfrac{5}{5}, \dfrac{7}{5}, \dfrac{13}{5}$, on divise l'unité en 5 parties égales et on gradue en cinquièmes.

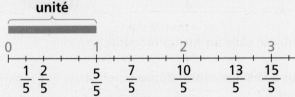

Lorsque le numérateur est un multiple du dénominateur, la fraction est égale à un nombre entier.

$\dfrac{5}{5} = 1$; $\dfrac{10}{5} = \dfrac{5}{5} + \dfrac{5}{5} = 2$; $\dfrac{15}{5} = \dfrac{10}{5} + \dfrac{5}{5} = 3$

Extraire la partie entière

C'est écrire la fraction sous la forme d'un entier et d'une fraction inférieure à 1.

$\dfrac{7}{5} = \dfrac{5}{5} + \dfrac{2}{5} = 1 + \dfrac{2}{5}$; $\dfrac{13}{5} = \dfrac{5}{5} + \dfrac{5}{5} + \dfrac{3}{5} = 2 + \dfrac{3}{5}$

Quand tu extrais la partie entière, la fraction qui reste est toujours inférieure à 1.

Encadrer entre deux entiers consécutifs

$\dfrac{5}{5} < \dfrac{7}{5} < \dfrac{10}{5}$ ➜ $1 < \dfrac{7}{5} < 2$ $\dfrac{10}{5} < \dfrac{13}{5} < \dfrac{15}{5}$ ➜ $2 < \dfrac{13}{5} < 3$

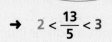

▪ S'exercer

Utiliser les fractions dans des cas de partage ou de codage

❶ Exprime la longueur de chaque segment par une fraction.

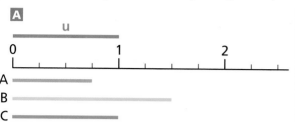

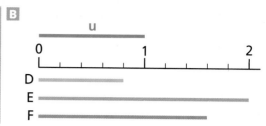

---

❷ Ⓐ Pour chaque point, **écris** la fraction correspondante.

Ⓑ Pour chaque point, écris deux fractions correspondantes.

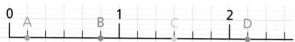

Extraire la partie entière d'une fraction

❸ Recopie les décompositions qui font apparaître la partie entière de la fraction.

Ⓐ

$\dfrac{10}{4}$ ⟨ $1 + \dfrac{6}{4}$ / $2 + \dfrac{2}{4}$

$\dfrac{13}{4}$ ⟨ $3 + \dfrac{1}{4}$ / $2 + \dfrac{5}{4}$

Ⓑ

$\dfrac{17}{5}$ ⟨ $2 + \dfrac{7}{5}$ / $3 + \dfrac{2}{5}$

$\dfrac{11}{2}$ ⟨ $5 + \dfrac{1}{2}$ / $3 + \dfrac{5}{2}$

---

❹ Recopie et **complète** selon l'exemple.

Ⓐ $\dfrac{6}{6} = 1 \rightarrow \dfrac{8}{6} = 1 + \dfrac{2}{6}$ $\dfrac{11}{6} = ... + \dfrac{...}{...}$

Ⓑ $\dfrac{11}{4} = 2 + \dfrac{3}{4}$; $\dfrac{13}{4} = ... + \dfrac{...}{...}$; $\dfrac{23}{4} = ... + \dfrac{...}{...}$

$\dfrac{12}{6} = ... \rightarrow \dfrac{13}{6} = ... + \dfrac{...}{...}$ $\dfrac{16}{6} = ... + \dfrac{...}{...}$

$\dfrac{14}{10} = ... + \dfrac{...}{...}$; $\dfrac{23}{10} = ... + \dfrac{...}{...}$; $\dfrac{48}{10} = ... + \dfrac{...}{...}$

Encadrer une fraction entre deux entiers consécutifs

❺ Encadre ces fractions entre deux entiers consécutifs,

selon l'exemple : $1 < \dfrac{3}{2} < 2$.

Ⓐ $\dfrac{5}{3}$; $\dfrac{2}{3}$; $\dfrac{9}{4}$; $\dfrac{7}{4}$

Ⓑ $\dfrac{5}{2}$; $\dfrac{11}{2}$; $\dfrac{9}{6}$; $\dfrac{20}{6}$

▪ Résoudre

❻ Problème guidé

Trace sur ton cahier :

– une bande u de 12 carreaux de long : c'est la bande unité.

– une bande A de longueur $\dfrac{1}{6}$ u et une bande B de longueur $\dfrac{1}{3}$ u.

> Le dénominateur de chaque fraction t'indique comment partager l'unité :
> – pour la bande A en 6 parties égales ;
> – pour la bande B en 3 parties égales.

 Socle commun 5

❼ Si la tour Eiffel a une hauteur qui correspond à 1 u, la tour Burj Dubaï a une hauteur $\dfrac{5}{2}$ u.

Sur une droite graduée verticale, **représente** les hauteurs de ces deux tours.

Le coin du chercheur

Avec les nombres 1, 1, 2, 5, complète cette addition.

```
    3 ...
+ ...   9
  ... ...
```

26 Atelier problèmes (2)

Données

COMPÉTENCE : Résoudre des problèmes relevant des quatre opérations : trouver l'opération en remplaçant les grands nombres de l'énoncé par des nombres plus petits afin d'accéder plus facilement au sens.

Calcul mental

Ajouter deux nombres.
24 + 31 ; 15 + 12…

Activités de recherche

130 fourmis doivent transporter 3 640 graines jusqu'à leur fourmilière. Chaque fourmi transporte une seule graine par voyage. Combien de voyages chacune doit-elle effectuer ?

J'ai une calculatrice, mais je ne sais pas quelle opération effectuer.

Pour trouver l'opération, je remplace les grands nombres par des nombres plus petits.
Par exemple : 130 par 4 et 3 640 par 20.
Si 4 fourmis doivent transporter 20 graines, chacune en portera 5 car 20 divisé par 4 égale 5.

Quelle opération permet de calculer le nombre de voyages ?
Effectue cette opération avec les nombres de l'énoncé, puis **rédige** la réponse.

Résoudre

1 Un camion peut transporter 360 sacs de ciment. Combien faut-il de camions pour transporter les 12 600 sacs contenus dans la péniche ?

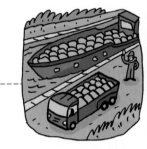

2 Une conserverie produit 9 600 boîtes de sardines chaque jour. Combien de boîtes produira-t-elle en 320 jours ?

3 Une coopérative agricole sénégalaise exporte 480 000 kg d'arachides en sacs de 75 kg. Combien de sacs exporte-t-elle ?

4 Cette année, 3 516 268 personnes ont visité la Cité de Carcassonne. C'est 654 387 visiteurs de plus que l'année dernière.
Combien de visiteurs la Cité de Carcassonne a-t-elle accueillis l'année dernière ?

5 Chaque mois, un baleineau rorqual boit 2 700 L de lait. De sa naissance à la fin de son sevrage, il a absorbé environ 189 000 L de lait.
Combien de mois cette période a-t-elle duré ?

6 La Terre a une superficie totale de 510 065 000 km². Les océans et les glaces recouvrent 376 445 000 km². Calcule la superficie des terres émergées.

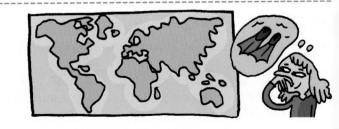

27

ATELIER INFORMATIQUE N° 2 :
Organiser des données et appréhender l'automatisation des calculs

Calcul mental

Ajouter deux nombres.
27 + 14 ; 25 + 16…

Monsieur Botanil achète un salon de jardin composé de quatre fauteuils, d'une table et de six chaises.

Aide la vendeuse à rédiger la facture en utilisant un logiciel (nommé tableur) qui permet d'effectuer des calculs automatisés.

Déplace-toi dans le tableau à l'aide des touches « flèches ».

1. Ouvre le logiciel **OpenOffice.org Calc*** : le tableur apparaît. Recopie les informations du tableau ci-contre sur la feuille de calcul présente à l'écran.

	A	B	C	D
1	Article	Prix	Quantité	Total
2	Fauteuil	39	4	
3	Table	125	1	
4	Chaise	29	6	
5			A payer	
6				

2. Pour calculer le **Total** pour chaque article, insère une formule de calcul selon l'exemple :
– Clique sur la **cellule D2** (case D,2).
– Tape la formule suivante : **=B2*C2** pour multiplier (signe *) le prix d'un fauteuil (cellule B2) par le nombre de fauteuils (cellule C2).
– Appuie sur la touche « Entrée ».
– Fais de même pour chaque ligne d'article.

SOMME ▼ f(x) ✗ ✓ =B2*C2

	A	B	C	D
1	Article	Prix	Quantité	Total
2	Fauteuil	39	4	=B2*C2
3	Table	125	1	
4	Chaise	29	6	
5			A payer	

N'oublie pas le signe « = » devant la formule.

3. Pour calculer la **somme totale À payer** :
– Clique sur la cellule D5.

– Clique sur le bouton f(x) Σ = « **Somme** ».

– Appuie sur la touche « Entrée ».

• Combien M. Botanil doit-il payer pour ses achats ?

SOMME ▼ f(x) ✗ ✓ =SOMME(D2:D4

	A	B	C	D
1	Article	Prix	Quantité	Total
2	Fauteuil	39	4	156
3	Table	125	1	125
4	Chaise	29	6	174
5			A payer	=SOMME(D2:D4

Monsieur Botanil trouve que le montant de cette facture est élevé.
Il décide d'acheter seulement deux fauteuils, une table et quatre chaises.

4. Modifie les cellules **Quantité** d'après l'énoncé, puis appuie sur « Entrée ».

• Que remarques-tu sur le Total et la somme À payer ?

	A	B	C	D
1	Article	Prix	Quantité	Total
2	Fauteuil	39	2	78
3	Table	125	1	125
4	Chaise	29	4	116
5			A payer	319
6				

---

* Cette activité est conçue à l'aide du logiciel OpenOffice. Elle peut être **facilement adaptée et réalisée avec tout autre tableur informatique**.

28 Comparer et tracer des angles

Grandeurs

Calcul mental
Prendre :
le tiers de 6,
le quart de 12…

COMPÉTENCES : Comparer des angles, les reproduire.

Activités de recherche - - - - - - - - - - - - - - - - -

1 **Utilise** une équerre pour comparer ces angles à l'angle droit.

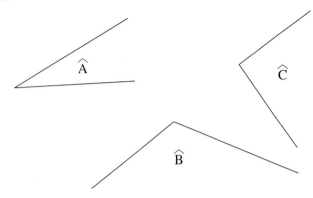

Quel est l'angle droit ? Quels sont les angles aigus ? Les angles obtus ?

2 **Compare** l'angle $\widehat{B}$ et l'angle $\widehat{D}$.
Quel est le plus grand ?

Compare l'angle $\widehat{A}$ et l'angle $\widehat{E}$.
Quel est le plus grand ?

Pour comparer ou reproduire des angles, utilise le papier-calque ou un gabarit.

3 **Range** les angles du plus petit au plus grand.

4 **Reproduis** l'angle $\widehat{A}$ sur ton cahier.

L'essentiel

Définir

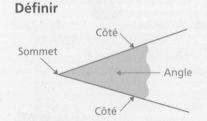

Côté
Sommet
Angle
Côté

Nommer

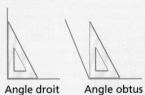

Angle droit Angle obtus Angle aigu

– Un **angle obtus** est plus grand que l'angle droit.
– Un **angle aigu** est plus petit que l'angle droit.

Comparer
On utilise le papier calque ou un gabarit.
L'angle **vert** est plus grand que l'angle **rouge**.

Gabarit   Gabarit

La mesure d'un angle ne dépend pas de la longueur de ses côtés mais de l'écartement de ceux-ci. L'angle $\widehat{A}$ est plus petit que l'angle $\widehat{B}$.

 $\widehat{A}$ $\widehat{B}$

S'exercer

1 Quel est l'angle le plus grand ?

 A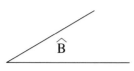

B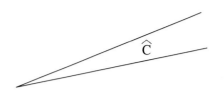

2 **Nomme** l'angle obtus et l'angle aigu.

A

B

3 **Compare** ces angles et **range**-les du plus grand au plus petit.

 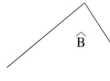  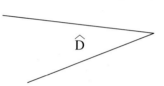

Résoudre

4 Problème guidé

Compare les angles du triangle puis **range**-les du plus petit au plus grand.

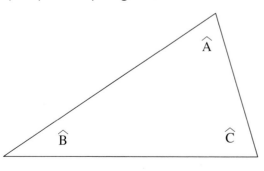

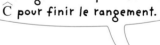
– Utilise le papier-calque.
– Repasse les côtés de l'angle Â.
– Reporte le dessin de l'angle Â sur les angles B̂ et Ĉ. Tu peux déjà faire un rangement.
– Repasse l'angle B̂. Compare-le avec l'angle Ĉ pour finir le rangement.

5 **Reproduis** sur ton cahier les angles Â et B̂ du triangle de l'exercice **4**.

6 **Compare** les longueurs des côtés de ce triangle. **Nomme**-le. **Compare** ses angles.

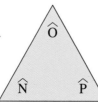

Le coin du cherch**eur**

Ce quadrilatère a un seul axe de symétrie et des diagonales perpendiculaires qui ne se coupent pas. Trace-le.

Fractions décimales (1)

Calcul mental

Prendre :
le quart de 100,
le tiers de 60…

COMPÉTENCES : Écrire une fraction sous forme de la somme d'un entier et d'une fraction inférieure à 1.
Ajouter deux fractions décimales de même dénominateur.

Activités de recherche

 ❶

Sur une droite graduée, en combien
de parties égales faut-il diviser l'unité pour placer
les fractions $\frac{5}{10}$; $\frac{8}{10}$; $\frac{10}{10}$; $\frac{12}{10}$ et $\frac{20}{10}$?

Trace une droite et **gradue**-la en dixièmes. **Places**-y les fractions précédentes.
Parmi ces fractions, lesquelles sont supérieures à 1 ?
Trouve le nombre entier égal à chacune de ces fractions décimales : $\frac{10}{10}$; $\frac{20}{10}$; $\frac{80}{10}$; $\frac{120}{10}$.

Écris les fractions $\frac{12}{10}$; $\frac{25}{10}$; $\frac{68}{10}$ et $\frac{134}{10}$ sous la forme d'une somme
d'un entier et d'une fraction inférieure à 1.

 ❷

Tu sais graduer une droite en dixièmes.
Tu peux aussi la graduer en centièmes.

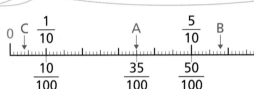

Utilise cette droite pour compléter les égalités.

• $\frac{1}{10} = \frac{...}{100}$ • $\frac{12}{10} = \frac{...}{100}$ • $\frac{50}{100} = \frac{...}{10}$ • $\frac{100}{100} = \frac{...}{10} = ...$

Le point **A** correspond à la fraction $\frac{35}{100}$. **Écris** la fraction correspondant à chaque lettre.

Écris les fractions $\frac{125}{100}$; $\frac{108}{100}$; $\frac{257}{100}$ et $\frac{1\,345}{100}$ sous la forme d'une somme d'un entier
et d'une fraction inférieure à 1.

L'essentiel

Définir
Les fractions qui ont pour dénominateur 10, 100, 1 000… sont des fractions décimales.

Nommer et utiliser les fractions décimales
L'unité a été découpée en **dixièmes** (graduations vertes) et en **centièmes** (graduations bleues).

$\frac{14}{10}$ se lit « quatorze **dixièmes** ». $\frac{231}{100}$ se lit « deux cent trente et un **centièmes** ».

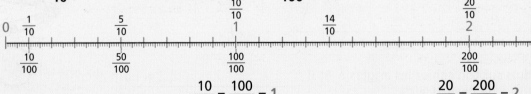

$$\frac{10}{10} = \frac{100}{100} = 1 \qquad\qquad \frac{20}{10} = \frac{200}{100} = 2$$

Extraire la partie entière. C'est écrire la fraction sous la forme d'un entier et d'une fraction inférieure à 1.

$$\frac{14}{10} = \frac{10}{10} + \frac{4}{10} = 1 + \frac{4}{10} \qquad\qquad \frac{231}{100} = \frac{200}{100} + \frac{31}{100} = 2 + \frac{31}{100}$$

▮ **S'exercer** ----------------------------

Nommer les fractions

❶ Écris en chiffres.

A huit dixièmes ; treize dixièmes
deux dixièmes ; cent trois dixièmes

B quatre centièmes ; cinquante centièmes
cent vingt centièmes ; soixante-deux centièmes

Écrire une fraction sous la forme d'un entier

❷ Trouve le nombre entier correspondant à chaque fraction.

A $\dfrac{50}{10} = \ldots$; $\dfrac{70}{10} = \ldots$; $\dfrac{30}{10} = \ldots$

B $\dfrac{200}{100} = \ldots$; $\dfrac{500}{100} = \ldots$; $\dfrac{1\,000}{100} = \ldots$

Placer des fractions sur une droite graduée

❸ Écris la fraction correspondant à chaque lettre.

A 0 1 2 3 4 5 — A B C D E

B 0 1 — F G H I J

---

❹ Reproduis cette droite graduée et **places**-y les fractions suivantes :

A $\dfrac{13}{10}$; $\dfrac{9}{10}$; $\dfrac{18}{10}$; $\dfrac{22}{10}$

B $\dfrac{120}{100}$; $\dfrac{230}{100}$; $\dfrac{80}{100}$; $\dfrac{150}{100}$

1 2

N'oublie pas :
$1 = \dfrac{10}{10} = \dfrac{100}{100}$

Écrire une fraction sous forme d'une somme d'un entier et d'une fraction inférieure à 1

❺ Écris chaque fraction sous la forme d'une somme d'un entier et d'une fraction inférieure à 1 :

A $\dfrac{13}{10}$; $\dfrac{9}{10}$; $\dfrac{18}{10}$; $\dfrac{22}{10}$

B $\dfrac{120}{100}$; $\dfrac{230}{100}$; $\dfrac{80}{100}$; $\dfrac{150}{100}$

---

❻ Écris la fraction décimale égale à chaque somme :

A $1 + \dfrac{3}{10} = \dfrac{\ldots}{\ldots}$; $2 + \dfrac{5}{10} = \dfrac{\ldots}{\ldots}$; $4 + \dfrac{8}{10} = \dfrac{\ldots}{\ldots}$

B $1 + \dfrac{25}{100} = \dfrac{\ldots}{\ldots}$; $5 + \dfrac{68}{100} = \dfrac{\ldots}{\ldots}$; $2 + \dfrac{8}{100} = \dfrac{\ldots}{\ldots}$

---

ocle 7
mmun

Résoudre ----------------------------

❼ Problème guidé

Aux Mondiaux d'athlétisme de 2011, l'une de ces deux nations a obtenu la médaille d'or à la finale féminine du 4 × 100 mètres. Laquelle ?

États-Unis Jamaïque

$41\text{ s }\dfrac{56}{100}$ $41\text{ s }\dfrac{7}{10}$

— Transforme $\dfrac{7}{10}$ en centièmes.
— Tu peux t'aider de la droite graduée de L'essentiel.

---

❽ Trouve toutes les paires de fractions dont la somme est égale à 1.

$\dfrac{7}{10}$ $\dfrac{2}{10}$ $\dfrac{3}{10}$ $\dfrac{25}{100}$ $\dfrac{8}{10}$ $\dfrac{50}{100}$ $\dfrac{75}{100}$

Le coin du chercheur

Dessine un carré rouge et un carré bleu. Place les nombres de 1 à 8 aux sommets des carrés. La somme des nombres du carré bleu doit être égale à la somme des nombres du carré rouge.

30 Géométrie

Patrons du cube et du pavé droit

COMPÉTENCES : Reconnaître ou compléter un patron de cube ou de pavé droit.

Activités de recherche

1 **Prends** une boîte en carton en forme de pavé droit.
Découpe-la le long des arêtes pour « l'ouvrir » comme le montre le schéma ci-dessous.

Tu obtiens un patron du pavé droit.

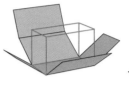 

Compare ton patron avec ceux de tes camarades.
Un pavé droit a-t-il un seul patron ? Combien a-t-il de faces ? Quelle est leur forme ?

2 **Prends** une boîte en carton en forme de cube.
Si tu n'en as pas, prends un cube ou un dé.
Trace un patron de ce cube sur une feuille unie
en faisant rouler la boîte face après face comme
le montre le schéma ci-contre.
Pour ne pas reproduire deux fois la même face,
écris le même numéro sur la face du solide et sur
celle du patron que tu traces.
Compare ton patron avec ceux de tes camarades.
Un cube a-t-il un seul patron ? Combien a-t-il de faces ? Quelle est leur forme ?
Plie le patron au niveau des arêtes pour construire le cube.

3 Léa a commencé le tracé d'un patron de pavé droit.
Combien de faces a-t-elle dessinées ?
Combien lui en reste-t-il à tracer ?

Reproduis cette figure
puis **termine** le patron en coloriant
de la même couleur les faces opposées.

Fais attention à la longueur des arêtes.

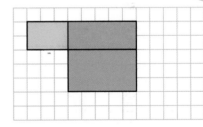

L'essentiel

Reconnaître ou **compléter** un patron

Un patron de **pavé droit** possède 6 faces.
Ces faces sont des rectangles ou des carrés.
Les côtés qui
correspondent à la
même arête ont la
même longueur.
Sur le modèle, les
faces opposées sont
de la même couleur.

Même longueur

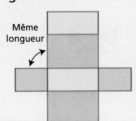

Un patron de **cube** possède 6 faces.
Ces 6 faces sont toutes des carrés.
Sur le modèle,
les faces opposées
sont de la même
couleur.

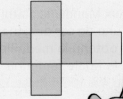

! Pour vérifier si une figure est un patron d'un solide,
il faut la reproduire, la découper et la plier.

■ S'exercer

❶ Observe les figures ci-dessous. Laquelle est un patron de cube ?

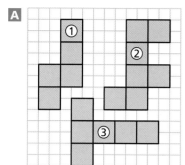

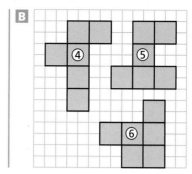

❷ Observe les figures ci-dessous. Laquelle est un patron de pavé droit ?

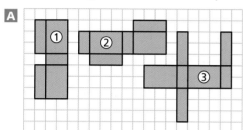

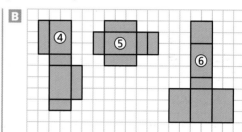

❸ Termine, sur ton cahier, le patron :

A du cube.

Pour vérifier, découpe le patron que tu as tracé puis construis le cube.

B du pavé droit.

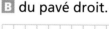

Deux côtés du patron qui forment la même arête du pavé ont la même longueur.

■ Résoudre

❹ Problème guidé

Voici le dessin d'une boîte et celui de son patron.

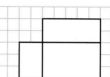

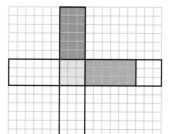

— Repère d'abord la forme de la face jaune, puis trouve sa face opposée.
— Observe la boîte pour trouver la couleur des deux autres faces opposées.

Les faces opposées sont de même couleur.
Reproduis le patron et **colorie**-le.

❺ Reproduis et **complète** ce patron de dé.
Dans un dé, la somme des points affichés sur deux faces opposées est toujours égale à 7.

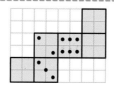

*Le coin du cherch**eur***

En reliant 4 points, combien de carrés peux-tu construire ?

Fractions décimales (2)

Calcul mental

Différence entre deux nombres.
35 – 27 ; 43 – 38…

COMPÉTENCE : Passer d'une écriture fractionnaire à une écriture à virgule et réciproquement.

Activités de recherche

1

$\frac{1}{10}$ s'écrit 0,1.

$\frac{4}{10}$ s'écrit 0,4.

0,1 et 0,4 sont des écritures à virgule des nombres décimaux.

Écris comme Hamed : $\frac{5}{10} = \ldots$; $\frac{8}{10} = \ldots$; $\frac{2}{10} = \ldots$; $0,3 = \frac{\ldots}{10}$; $0,9 = \frac{\ldots}{\ldots}$; $0,6 = \frac{\ldots}{\ldots}$

Écris selon l'exemple : $\frac{14}{10} = \frac{10}{10} + \frac{4}{10} = 1 + 0,4 = 1,4$

1,4 c'est « une unité quatre dixièmes ».

$\frac{17}{10}$; $\frac{27}{10}$; $\frac{31}{10}$; $\frac{64}{10}$

Écris sous la forme d'une fraction décimale : 2,5 ; 1,9 ; 3,4 ; 2.

Reproduis cette droite graduée en dixièmes.

Places-y les nombres décimaux et fractions décimales suivantes. **Aide**-toi des nombres déjà placés.

$\frac{7}{10}$; 0,5 ; $\frac{23}{10}$; 0,7 ; $\frac{5}{10}$; 2,3

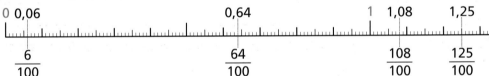

2 **Observe** la droite graduée en centièmes.

Utilise cette droite pour compléter les égalités selon l'exemple :

$\frac{125}{100} = \frac{100}{100} + \frac{25}{100} = 1 + 0,25 = 1,25$ $\frac{114}{100} = \ldots$; $\frac{50}{100} = \ldots$; $\frac{6}{100} = \ldots$

$3,54 = 3 + 0,54 = \frac{300}{100} + \frac{54}{100} = \frac{354}{100}$ $1,08 = \ldots$; $2,83 = \ldots$; $10,62 = \ldots$

1,42 c'est « une unité quarante-deux centièmes »

L'essentiel

Passer d'une écriture fractionnaire à une écriture à virgule d'un nombre décimal.

$\frac{142}{100} = \frac{100}{100} + \frac{42}{100} = 1 + \frac{42}{100}$ Ce nombre s'écrit aussi **1,42**. C'est un nombre décimal.

La **virgule** sépare la **partie entière** (1) de la **partie décimale** ($\frac{42}{100}$).

```
   0,08        0,5   0,75              1,42                  2,06
0 |             |      |           1     |               2    |
   ↓            ↓      ↓                 ↓                    ↓
   8            5     75               142                  206
  ───          ──    ───              ───                  ───
  100          10    100              100                  100
```

Passer d'une écriture à virgule à une écriture fractionnaire d'un nombre décimal.

2,06 = 2 + 0,06   2,6 = 2 + 0,6

$2,06 = \frac{200}{100} + \frac{6}{100} = \frac{206}{100}$ $2,6 = \frac{20}{10} + \frac{6}{10} = \frac{200}{100} + \frac{60}{100} = \frac{260}{100}$

Banque d'**Exercices** et de **Problèmes** n°s 29 à 31 p. 78.

S'exercer

Passer d'une écriture fractionnaire à une écriture à virgule

1 **Décompose** les fractions selon l'exemple :

$$\frac{14}{10} = 1 + \frac{4}{10} = 1,4$$

A $\frac{17}{10} = ...$; $\frac{8}{10} = ...$; $\frac{26}{10} = ...$

$\frac{45}{10} = ...$; $\frac{123}{10} = ...$; $\frac{506}{10} = ...$

B $\frac{280}{100} = ...$; $\frac{14}{100} = ...$; $\frac{187}{100} = ...$

$\frac{810}{100} = ...$; $\frac{5\,014}{100} = ...$; $\frac{1\,800}{100} = ...$

---

2 **Écris** la fraction et le nombre décimal correspondant à chaque lettre.

A   B   C   D E

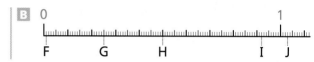

F   G   H   I   J

---

3 **Parmi** ces fractions $\frac{50}{10}$; $\frac{5}{100}$; $\frac{50}{100}$; $\frac{500}{100}$; $\frac{5}{10}$ lesquelles sont égales à 0,5 ? 0,05 ? 5 ?

Passer d'une écriture à virgule à une écriture fractionnaire

4 **Écris** la fraction décimale égale à chaque nombre

décimal : $1,4 = 1 + \frac{4}{10} = \frac{14}{10}$

A $1,6 = ...$; $2,9 = ...$; $5,2 = ...$

$1,53 = ...$; $0,86 = ...$; $15,2 = ...$

B $1,45 = ...$; $2,38 = ...$; $5,17 = ...$

$10,3 = ...$; $21,06 = ...$; $53,47 = ...$

---

5 **Associe** les écritures qui représentent le même nombre. **Aide**-toi de la droite graduée.

0,25   0,75 $\frac{3}{4}$ $\frac{25}{100}$ $\frac{1}{4}$ $\frac{75}{100}$

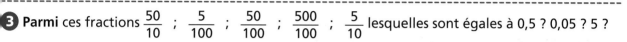

Résoudre

6 Problème guidé

Alissia dit : « 0,5 est égal à $\frac{1}{2}$ »

et Victor : « 0,5 est égal à $\frac{1}{5}$ ».

Qui a raison ?
Pour répondre, **reproduis**
et **utilise** la droite graduée
ci-contre.

— Avec un stylo rouge,
partage l'unité en 2 parties
égales puis place la fraction $\frac{1}{2}$
— Avec un stylo vert, partage l'unité en 5
parties égales, puis place la fraction $\frac{1}{5}$
— Place ensuite 0,5 et observe.

---

7 L'épaisseur de 100 feuilles de papier ordinaire
est de 1 cm.
Quelle est l'épaisseur d'une feuille ?
Exprime la réponse par une fraction décimale
puis par un nombre décimal de centimètres.

Le coin du cherch(eur)

Pave la figure blanche
avec le pavé rouge.

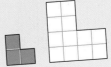

Combien
de pavés
te faut-il ?

COMPÉTENCE : Connaître la technique opératoire de la division euclidienne d'un nombre par un nombre de 2 chiffres.

▬▬▬ Activités de recherche ▬ ▬ ▬ ▬ ▬ ▬ ▬ ▬ ▬ ▬ ▬

1 Les 62 000 balles utilisées pour le tournoi de tennis de Roland Garros sont rangées par cartons de 72 balles.
Combien de cartons les organisateurs doivent-ils prévoir pour ce tournoi ?

Je divise 62 000 par 72 :
En 620 combien de fois 72 ?
Ou en 62 dizaines combien de fois 7 dizaines ?
« Il y va 8 fois. »
72 × 8 = 576 ;
620 – 576 = 44 qui est plus petit que 72
J'écris **8** au quotient.

Je continue en abaissant le zéro.
Le quotient de 440 par **72** ou de 44 par **7** est **6**.
72 × 6 = 432 ;
440 – 432 = 8

```
            6 2 0 0 0 | 7 2
72 × 8 →  –  5 7 6    | 8 ... ...
             0 4 4 0
72 × ... →  –      ... ... ...
                   ... ... ...
... × ... → –      ... ... ...
                   ... ... ...
```

Recopie et termine cette division.
Vérifie l'opération :
62 000 = (72 × ...) + ...

2 Les spécialistes ont cordé 3 270 raquettes pendant les 15 jours du tournoi. Combien de raquettes ont-ils cordées par jour ?

▬ L'essentiel ▬▬▬▬▬▬▬▬▬▬▬▬▬▬▬▬▬▬▬▬▬▬

```
    6 1 0 | 1 5
 –  6 0   | 4 0
      1 0
 –    0 0
      1 0
```

À chaque étape, quand **le nombre à diviser** est inférieur au diviseur, n'oublie pas d'écrire **0** au quotient. Puis abaisse le chiffre suivant.

```
      2 8 3 4 | 1 4
   –  2 8     | 2 0 2
      0 0 3
   –    0 0
          3 4
   –      2 8
            6
```

Dans la division de **610** par **15** :
– le dividende est **610** ;
– le quotient entier est 40 ;
– le reste est 10.

Dans la division de **2 834** par **14** :
– le dividende est **2 834** ;
– le quotient entier est 202 ;
– le reste est 6.

N'oublie pas que :
dividende = (diviseur × quotient) + reste.
Cela permet de vérifier tes calculs :
610 = 15 × 40 + 10
2 834 = 14 × 202 + 6

Banque d'**Exercices** et de
Problèmes n°s 32 et 33 p. 78.

■ S'exercer --

Utiliser l'algorithme de la division par un nombre de 2 chiffres

1 **Pose**, **effectue** puis **écris** l'égalité correspondante.

A 658 divisé par 21   ;   823 divisé par 34 | **B** 7 546 divisé par 65   ;   5 678 divisé par 84

658 = (21 × …) + …   ;   823 = (34 × …) + … | 7 546 = (65 × …) + …   ;   5 678 = (84 × …) + …

----

2 **Pose**, **effectue** puis **écris** l'égalité correspondante.

A 808 divisé par 31   ;   709 divisé par 28 | **B** 9 908 divisé par 47   ;   6 008 divisé par 29

808 = (31 × …) + …   ;   709 = (28 × …) + … | 9 908 = (47 × …) + …   ;   6 008 = (29 × …) + …

----

3 **Pose**, **effectue** puis **écris** l'égalité correspondante.

A 1 600 divisé par 25   ;   3 500 divisé par 46 | **B** 6 040 divisé par 41   ;   12 000 divisé par 72

1 600 = (25 × …) + … ; 3 500 = (46 × …) + … | 6 040 = (41 × …) + …   ;   12 000 = (72 × …) + …

----

4 **Pose**, **effectue** puis **écris** l'égalité correspondante.

A 1 860 divisé par 30   ;   1 500 divisé par 90 | **B** 4 009 divisé par 50   ;   7 000 divisé par 35

1 860 = (30 × …) + … ; 1 500 = (90 × …) + … | 4 009 = (50 × …) + …   ;   7 000 = (35 × …) + …

----

5 Parmi ces divisions, **trouve** celle qui est juste. **Corrige** les autres.

a.
```
  5 4 8 0 | 2 7
- 5 4     | 2 2
  0 0 8 0
-     5 4
      2 6
```

b.
```
  1 2 7 0 0 | 8 2
-     8 2   | 1 5 3
  0 4 5 0
-   4 1 0
      4 0 0
-     2 4 6
      1 5 4
```

c.
```
  1 3 9 7 | 4 6
- 1 3 8   | 3 0
  0 0 1 7
-     0 0
      1 7
```

■ Résoudre --

6 Problème guidé

Un céréalier transporte
2 160 tonnes de blé vers
le silo de la coopérative
avec des camions qui portent
24 tonnes chacun.
Combien de camions faut-il pour
transporter tout le blé ?

— Il faut diviser 2 160 par 24.
— Commence la division en prenant
les 3 premiers chiffres du dividende.
— Vérifie le résultat en effectuant
une multiplication.

----

7 Le plus grand des mammifères, la baleine bleue, peut
peser jusqu'à 192 tonnes, alors
que le plus grand poisson,
le requin-baleine, pèse
seulement 16 tonnes.
Combien faudrait-il
de requins-baleines pour égaler
le poids d'une baleine bleue ?

Le coin du cherch**eur**

Comment, à l'aide de deux
bidons, l'un d'une contenance
de 5 litres et l'autre de 3 litres,
peut-on mesurer une quantité
de 4 litres ?

33
Géométrie

Compléter une figure par symétrie

COMPÉTENCE : Compléter une figure par symétrie axiale

Calcul mental

**Partie entière
du quotient de :**
125 par 10 ; 854 par 100..

▰▰▰ Activités de recherche ----------------------

À Arc-et-Senans, en Franche-Comté, ce monument de la Saline Royale possède un axe de symétrie.

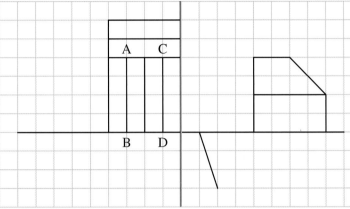

1 **Reproduis** la figure ci-dessus sur quadrillage. **Complète**-la par symétrie.
- Les segments AB et CD sont parallèles à l'axe rouge.
Que peux-tu dire de leurs symétriques ?
- Les segments AB et BD sont perpendiculaires.
Que peux-tu dire de leurs symétriques ?

2 En utilisant un calque, **reproduis** et **complète** le papillon.

___L'essentiel_____

Définir
Une figure possède un axe de symétrie si, lorsqu'on la plie selon cet axe, les deux parties se superposent exactement.

Tracer
Pour compléter une figure par symétrie sur papier quadrillé, il faut placer les points particuliers de la figure (les sommets par exemple) en comptant le nombre de carreaux, perpendiculairement à l'axe de symétrie.

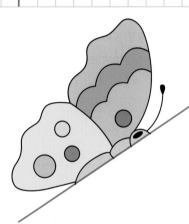

Pour compléter une figure par symétrie sur papier uni, il faut utiliser un papier calque.

Quand il y a deux axes de symétrie, on trace d'abord le symétrique par rapport à un axe, puis le symétrique de l'ensemble par rapport à l'autre axe.

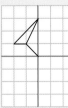 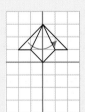 

70

▬ **S'exercer** --

Compléter une figure par symétrie axiale : un axe

❶ Reproduis puis **complète** la figure : la droite rouge est axe de symétrie.

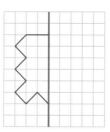

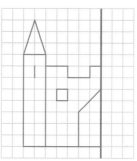

Compléter une figure par symétrie axiale : deux axes

❷ Reproduis ce motif et **complète** la figure :
les droites rouges et vertes sont axes de symétrie.

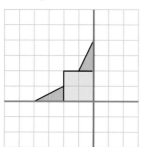

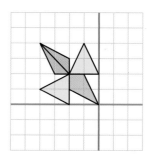

▬ **Résoudre** ------------------

❸ Problème guidé

Reproduis et **complète** la figure.
La droite rouge est axe de symétrie.

> — Trace d'abord le symétrique de la partie gauche, par rapport à l'axe rouge.
> — Trace ensuite le symétrique de la partie droite.

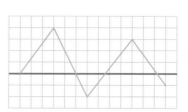

❹ À l'aide d'un calque, **reproduis** puis **complète** la tête de l'éléphant.

❺ Reproduis et **complète** la figure.
La droite rouge est axe de symétrie.

Le coin du cherch**eur**

Avec son arc, Diane tire 60 flèches. Elle tire la première à midi et continue de tirer une flèche toutes les minutes.

À quelle heure tire-t-elle la dernière ?

71

COMPÉTENCES :
Rechercher et organiser
des données d'un problème
en vue de sa résolution.
Résoudre des problèmes
de plus en plus complexes

Le Musée du Louvre (Paris)

Le musée du Louvre est le musée le plus visité du monde.
En 2011, il a reçu 8 800 000 visiteurs. Un tiers des visiteurs étaient français. Quatre dixièmes des visiteurs sont entrés gratuitement dans le musée.

Visiteurs gratuits

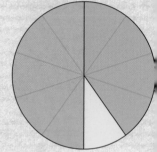

Parmi les visiteurs gratuits :
– $\frac{5}{10}$ sont des scolaires ou des jeunes de moins de 25 ans ;
– $\frac{1}{10}$ visitent le musée les journées gratuites ;
– les autres visiteurs sont des adultes n'ayant pas à payer (handicapés, artistes, scientifiques…).

1. Parmi les visiteurs du musée, quelle fraction correspond aux touristes :
– français ? étrangers ?
– gratuits ? payants ?

2. Dans le graphique circulaire, quelle couleur correspond aux adultes n'ayant pas à payer l'entrée ?

Le musée du Louvre, c'est 300 000 œuvres artistiques. Seules 35 000 sont présentées au public.
Il comprend différentes collections : Peintures, Antiquités grecques, Antiquités égyptiennes…

b – Modèle de navire
(Égypte, v. 2000 av. J.-C.)

a – La Vénus de Milo
(Grèce,
v. 130-100 av. J.-C.)

3. Combien d'œuvres ne sont pas visibles par le public ?

4. Dans quelles collections du musée rangerais-tu chacune des œuvres ci-contre : a, b, c ?

c – La Joconde
(Italie, v. 1503-1506)

La pyramide du Louvre

Le hall d'entrée du musée est situé sous une pyramide de verre et d'acier.
Cette pyramide, à base carrée, est composée de 603 losanges et 70 triangles en verre (un triangle correspond à un demi-losange). Sa hauteur est de 21,64 mètres ; chaque côté de sa base est égal à 36 mètres environ.

Trois mini-pyramides à base carrée entourent la pyramide principale.

5. Quel est le périmètre de la base de la grande pyramide ?

6. Combien comptes-tu de losanges et de triangles sur chaque face de la mini-pyramide ? En prenant pour unité d'aire, un losange, quelle est l'aire d'une face ?

7. Quelle fraction de la face représente un losange ? Un triangle ?

8. Reproduis et termine la tête du sphinx. La droite rouge est axe de symétrie.

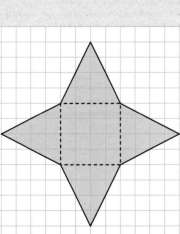

9. Reproduis ce patron, découpe-le et construis la pyramide.

Grand sphinx
(v. 2600 av. J.-C.),
musée du Louvre

www.louvre.fr

Pour chaque exercice, reco[...]
la bonne réponse **A**, **B** ou [...]

■ Nombres

		A	B	C	Aide
1	Écris $\frac{4}{5}$ en lettres.	Quatre et demi	Cinq quarts	Quatre cinquièmes	
2	Écris trois quarts en chiffres.	$\frac{4}{3}$	$\frac{3}{4}$	$\frac{3}{5}$	
3	L'unité est le carré entier. Dans quelle figure l'aire coloriée est-elle égale à $\frac{1}{4}$ de celle du carré ?	1	2	3	Leçon 23 L'essenti[...] Exercice[...] 1, 2, 5
4	Quelle fraction est plus petite que l'unité ?	$\frac{3}{4}$	$\frac{5}{4}$	$\frac{4}{4}$	
5	Quelle fraction est plus grande que l'unité ?	$\frac{3}{4}$	$\frac{5}{4}$	$\frac{4}{4}$	
6	Quelle fraction est égale à l'unité ?	$\frac{3}{4}$	$\frac{5}{4}$	$\frac{4}{4}$	
7	L'unité est le segment rouge. Quelle est la mesure du segment **a** ?	$\frac{8}{6}$	$\frac{2}{6}$	$\frac{6}{8}$	Leçon 2[...] L'essenti[...] Exercice[...] 1, 3, 4, 5
8	Quelle somme est égale à $\frac{5}{2}$?	$5 + \frac{1}{2}$	$1 + \frac{1}{2}$	$2 + \frac{1}{2}$	
9	Quels nombres encadrent la fraction $\frac{1}{3}$?	1 et 3	0 et 1	1 et 2	
10	Quel nombre décimal est égal à $\frac{164}{10}$?	164	1,64	16,4	Leçon 3[...] L'essenti[...] Exercice[...] 3, 4
11	Quelle fraction est égale à 0,59 ?	$\frac{59}{10}$	$\frac{59}{100}$	$\frac{59}{1\,000}$	

■ Grandeurs et mesure

		A	B	C	Aide
12	Le carreau est l'unité d'aire. Quelle est l'aire de la figure verte ?	4 carreaux	8 carreaux	6 carreaux	Leçon 20 L'essenti[...] Exercice 1, 2
13	De ces deux figures, laquelle possède la plus grande aire ?	La figure verte.	La figure rose.	Les deux figures ont la même aire.	

socle commun

Calcul

		A	B	C	Aide
	Sans poser la division, calcule le quotient et le reste de 187 par 6.	q = 30 r = 7	q = 32 r = 1	q = 31 r = 1	**Leçon 18** L'essentiel
Pose et effectue les divisions.	Quel est le quotient de la division de 208 par 4 ?	50	51	52	**Leçon 19** Activités de recherche Exercice 1
	Quel est le quotient de la division de 672 par 37 ?	17	18	108	

Géométrie

	A	B	C	Aide
Les 4 faces d'un solide sont des triangles. Ce solide est…	un pavé	un prisme	une pyramide	**Leçon 22**
Range ces angles du plus grand au plus petit. $\widehat{A}$ $\widehat{B}$ $\widehat{C}$	$\widehat{A} > \widehat{B} > \widehat{C}$	$\widehat{C} > \widehat{A} > \widehat{B}$	$\widehat{C} > \widehat{B} > \widehat{A}$	**Leçon 28** L'essentiel Exercice 2
Parmi ces dessins, lequel n'est pas un patron de cube ? 1 2 3	1	2	3	**Leçon 30** L'essentiel Exercices 1, 2
Parmi ces angles, lequel est un angle aigu ? 2 3 1	1	2	3	**Leçon 28** L'essentiel Exercice 2

Problèmes

	A	B	C	Aide
Sarah distribue équitablement 96 images à ses 4 camarades. Combien d'images chacun reçoit-il ?	384	36	24	**Leçon 21** L'essentiel Exercices 1, 2
Samir donne 8 bonbons à chacun de ses 5 amis. Il lui en reste 5. Combien de bonbons avait-il dans son sac ?	40	45	50	

LEÇON 18

1 **Trouve** le quotient et le reste de ces divisions en utilisant les multiples du diviseur.
33 divisé par 6 ; 42 divisé par 8
63 divisé par 7 ; 70 divisé par 8

2 **Trouve** le quotient et le reste de ces divisions en utilisant les multiples du diviseur.
47 divisé par 3 ; 78 divisé par 5
86 divisé par 4 ; 72 divisé par 9

3 Comme le problème guidé
Un agriculteur vend 6 € le panier de fraises. Il a gagné 150 €.
Combien de paniers a-t-il vendus ?

LEÇON 19

4 **Pose, effectue** puis **vérifie** en écrivant l'égalité correspondante :
57 divisé par 3 ; 76 divisé par 6
88 divisé par 7 ; 94 divisé par 4

5 **Pose, effectue** puis **vérifie** en écrivant l'égalité correspondante :
456 divisé par 3 ; 318 divisé par 5
702 divisé par 6 ; 484 divisé par 8

6 Comme le problème guidé
Un pâtissier a fabriqué 310 œufs en chocolat. Il les place dans des sacs de 8 œufs.
Combien de sacs peut-il remplir ? Combien d'œufs lui restera-t-il ?
Pose l'opération et **rédige** les réponses

LEÇON 20

7 **Exprime** l'aire de chacune de ces figures avec l'unité u, puis **range**-les dans l'ordre croissant.

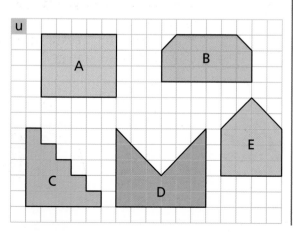

8 Comme le problème guidé
Observe la figure ci-dessous.
Le point E est le milieu du segment AB.
Compare l'aire colorée en jaune à c colorée en bleu.

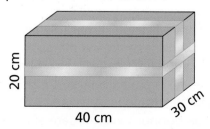

LEÇON 21

9 Myriam achète 4 polos pour ses enfants.
Combien dépense-t-elle ?

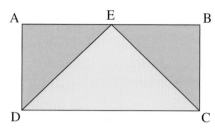

10 Quel est le prix d'un ballon ?

11 Comme le problème guidé
L'entrée du musée est de 8 €. La recette jour s'élève à 400 €. Combien de person ont visité le musée ?

LEÇON 22

12 **Écris** le nom de chaque solide de constructions.

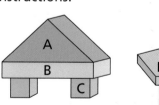

13 Comme le problème guidé
Quelle longueur de ruban adhésif est né saire pour entourer ce carton ?

20 cm
40 cm
30 cm

Écris en chiffres : quatre tiers ; cinq sixièmes ; trois quarts ; neuf dixièmes ; trois demis ; un cinquième ; sept huitièmes.

Écris une fraction correspondant à la partie colorée de chacun de ces disques.
Écris une fraction correspondant à la partie non colorée.

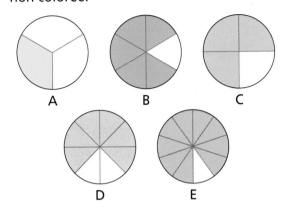

L'unité d'aire est l'aire du carré bordé de rouge.
Pour chacune des figures, **écris** une fraction correspondant à la partie colorée.

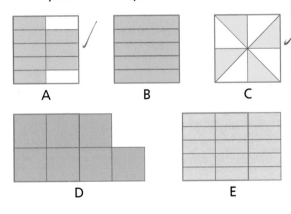

Comme le problème guidé
Papa a ouvert deux boîtes de chocolat.

Léa a mangé 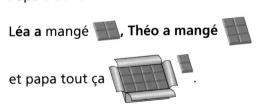, Théo a mangé

et papa tout ça   .

L'unité est une boîte de chocolat.
Écris une fraction correspondant à ce que chacun a mangé.

18 Exprime, par une fraction, la longueur de chaque segment.

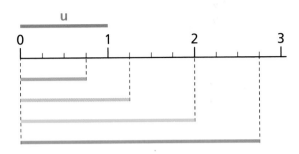

19 Écris la fraction correspondant à chacune des lettres.

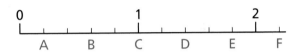

20 Extrais la partie entière de chaque fraction comme dans l'exemple :

$$\frac{13}{6} = 2 + \frac{1}{6}$$

$$\frac{4}{3} \; ; \; \frac{6}{5} \; ; \; \frac{5}{2} \; ; \; \frac{12}{8} \; ; \; \frac{14}{5} \; ; \; \frac{9}{3} \; ; \; \frac{19}{6}$$

21 Comme le problème guidé

Trace sur ton cahier :
– une bande u de 8 carreaux de long : c'est la bande unité ;
– une bande A de longueur $\frac{1}{4}$ u et une bande B de longueur $\frac{3}{4}$ u.

22 Quel triangle est équilatéral ? Que peux-tu dire de ses angles ?
Comment appelle-t-on l'autre triangle ? Que peux-tu dire de ses angles ?

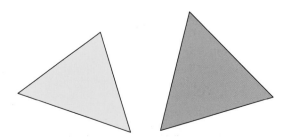

23 Comme le problème guidé

Compare les angles $\widehat{A}$, $\widehat{B}$ et $\widehat{C}$ de ce triangle et **range**-les du plus petit au plus grand.

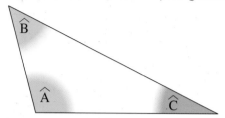

24 **Reproduis** les trois angles du triangle précédent.

LEÇON 29

25 • **Écris** en chiffres :

six dixièmes ; dix-huit dixièmes ; trois dixièmes ; soixante-cinq dixièmes ; neuf centièmes ; quatre-vingt-deux centièmes ; cent trente-deux centièmes.

• **Entoure** les fractions supérieures à l'unité.

26 **Extrais** la partie entière de chaque fraction comme dans l'exemple : $\dfrac{24}{10} = 2 + \dfrac{4}{10}$

$\dfrac{18}{10}$; $\dfrac{32}{10}$; $\dfrac{23}{10}$; $\dfrac{45}{10}$;

$\dfrac{120}{100}$; $\dfrac{250}{100}$; $\dfrac{156}{100}$; $\dfrac{304}{100}$

27 Comme le problème guidé

Nicolas a parcouru le 100 m en 14 s $\dfrac{5}{10}$ et Ronald en 14 s $\dfrac{47}{100}$. Qui court le plus vite ?

LEÇON 30

28 Comme le problème guidé

Quel dé a été réalisé à partir de ce patron ?

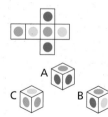

LEÇON 31

29 **Écris** la fraction et le nombre décimal correspondant à chaque lettre.

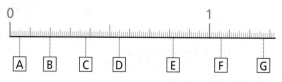

30 **Écris** la fraction décimale égale au nomb décimal selon l'exemple : $1,45 = \dfrac{145}{100}$

7,5 ; 2,12 ; 0,5 ; 4,22 ;

0,16 ; 13,8 ; 0,03 ; 24,75

31 Comme le problème guidé

Choisis la bonne réponse.

$\dfrac{1}{4}$ → 0,4   0,25   2,5

$\dfrac{1}{2}$ → 0,2   1,2   0,5

LEÇON 32

32 **Pose**, **effectue** puis **vérifie** en écrivant l'ég lité correspondante selon l'exemple ;

806 divisé par 32 → 806 = (32 × 25) + 6

a. 745 divisé par 24   936 divisé par 4

526 divisé par 18   800 divisé par 6

b. 6 705 divisé par 45   8 504 divisé par

5 200 divisé par 86   7 002 divisé par

33 Comme le problème guidé

Un bus peut transporter 48 passage Combien faut-il de bus pour transporter 1 200 passagers débarqués du bateau ?

LEÇON 33

34 **Reproduis** puis **complète** la figure : la droite rouge est axe de symétrie.

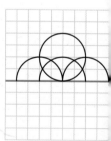

Problèmes de recherche - - - -

35 **Trouve** 3 nombres consécutifs dont somme est égale à 36.
Trouve 3 nombres consécutifs dont somme est égale à 240.

36 **Trouve** 4 nombres consécutifs dont somme est égale à 90.
Trouve 4 nombres consécutifs dont somme est égale à 250.

Période 3

Cherche dans le dessin des détails illustrant les notions étudiées dans la période.
Retrouve Mathéo la mascotte.

	Leçons		Leçons
Écrire, nommer, comparer les nombres décimaux.	35, 36	• Multiplier un nombre décimal par un nombre décimal.	50
Additionner, soustraire des décimaux.	38, 39	• Mesurer des longueurs, des masses, des contenances.	46, 51, 52
Multiplier, diviser un nombre décimal par 10, 100, 1 000.	42, 43	• Lire et interpréter un graphique.	49, 53
		• Reproduire des figures planes.	37, 44
Multiplier un nombre décimal par un entier.	47, 48	• Identifier, tracer des triangles et leurs hauteurs.	40, 41

Les nombres décimaux (1)

Calcul mental
**Partie entière
de fractions simples.**
$\frac{5}{4}$; $\frac{7}{2}$ ...

COMPÉTENCES : Produire des décompositions liées à une écriture à virgule, en utilisant : 0,1 ; 0,01 ; 0,001...
Connaître la valeur de chacun des chiffres de la partie décimale en fonction de sa position.

Activités de recherche

1

Est-ce que
0,40 = 0,4 ?

$0,40 = \frac{40}{100} = \frac{4}{10}$

$0,4 = \frac{4}{10}$, donc 0,40 = 0,4

Recopie et **complète** les égalités.

$\frac{50}{100} = \frac{5}{10}$ donc   0,50 = ... ;

$\frac{350}{1\,000} = \frac{...}{100}$ donc   0,350 = ...

$\frac{2\,300}{1\,000} = \frac{...}{10}$ donc   2,300 = ... ;

$\frac{1\,800}{1\,000} = \frac{18}{10}$ donc   ... = ...

2 **Décompose** les nombres ci-dessous suivant
l'exemple de Mathéo.
2,138 ; 1,045 ; 0,376 ; 0,54

1,472 = 1 + 0,472
1,472 c'est 1 unité 472 millièmes
1,472 = 1 + 0,4 + 0,07 + 0,002
1,472 c'est 1 unité 4 dixièmes
7 centièmes 2 millièmes

3 **Reproduis** le tableau de numération de **L'essentiel** ci-dessous.
Places-y les nombres décimaux : 2,45 ; 8,025 ; 51,8 ; 4,508 ; 15,06
puis **indique** pour chacun d'eux la valeur du chiffre 5 qui apparaît dans leur écriture.

4 **Trouve** l'écriture à virgule des nombres suivants :
2 unités 7 dixièmes 4 centièmes ;
1 unité 2 centièmes 5 millièmes ;
8 dixièmes 7 millièmes.

Aide-toi du tableau
de numération.

L'essentiel

Écrire un nombre décimal
On peut ajouter ou supprimer des zéros à la fin de la partie décimale d'un nombre décimal,
cela ne change pas la valeur du nombre.
5,2 = 5,20 = 5,200   18,730 = 18,73

Décomposer et nommer un nombre décimal
43,125 = **43** + **0,125** = 43 + 0,100 + 0,020 + 0,005
                            = 43 + 0,1 + 0,02 + 0,005

Partie   Partie
entière décimale

c	d	u	dixièmes	centièmes	millièmes
	4	3,	1	2	5
		0,	1	0	0
		0,	0	2	0
		0,	0	0	5

43,125 c'est 43 unités et 125 millièmes **ou bien** 43 unités 1 dixième 2 centièmes 5 millièmes.
4 est le chiffre des dizaines, **3** le chiffre des unités, **1** le chiffre des dixièmes, **2** le chiffre des
centièmes et **5** le chiffre des millièmes.

2,04 ce n'est pas 2,4 !
2,04 c'est 2 unités 4 centièmes
2,4 c'est 2 unités 4 dixièmes

1,9   2   2,1   2,2   2,3   2,4   2,5
          2,04   2,4

▰ S'exercer

Écrire un nombre décimal

1 **Recopie** ces nombres décimaux et **barre** les zéros qui ne modifient pas la valeur du nombre.

A 2,710 ; 1,500 ; 302,80 ; 150,7 ; 80,20 | **B** 104,30 ; 25,203 ; 7,1500 ; 7,1050 ; 7,0150

2 **Associe** les écritures qui représentent le même nombre.

A 1,500 ; 1,05 ; 1,5 ; 1,050 ; 1,50 | **B** 10,30 ; 1,03 ; 10,3 ; 1,030 ; 10,300

Décomposer un nombre décimal

3 **Décompose** les nombres décimaux selon l'exemple.

$$3,72 = 3 + 0,72 = 3 + 0,7 + 0,02$$

A 5,28 ; 4,975 ; 12,36 ; 8,367 | **B** 36,54 ; 1,394 ; 6,058 ; 9,205

4 **Décompose** les nombres décimaux selon l'exemple.

3,128 = 3 unités et 128 millièmes = 3 unités 1 dixième 2 centièmes et 8 millièmes

A 5,368 ; 12,458 ; 7,1 ; 0,62 ; 6,017 | **B** 32,507 ; 23,002 ; 56,07 ; 72,104 ; 4,009

Connaître la valeur de chacun des chiffres d'un nombre

5 **Indique** la valeur du chiffre 3 dans chacun des nombres.

A 0,3 ; 6,43 ; 13,51 ; 18,73 ; 8,317 | **B** 34,5 ; 7,305 ; 12,083 ; 5,438 ; 12,703

Retrouver une écriture décimale

6 **Trouve** l'écriture à virgule des nombres suivants.

A 3 unités 5 dixièmes ;
7 unités 3 dixièmes 6 centièmes ;
0 unité 4 centièmes.

B 2 unités 3 centièmes ;
1 dizaine 8 centièmes 9 millièmes ;
4 dixièmes 5 millièmes.

▰ Résoudre

7 *Problème guidé*

Ma partie entière est un multiple de 7 compris entre 20 et 25.
Ma partie décimale est le centième de ma partie entière.
Qui suis-je ?

> Un multiple de 7 se trouve dans la table de multiplication par 7. Pour trouver le centième, on divise par 100.

8 **Réponds** à la question de Mélissa.

> 34 dixièmes ou 3 400 millièmes, est-ce pareil ?

9 Ma partie entière est nulle.
Mon chiffre des centièmes est la moitié de celui des dixièmes.
Mon chiffre des dixièmes est le triple de mon chiffre des millièmes.
Qui suis-je ?

> Le chiffre des dixièmes doit être pair.

Le coin du cherch(eur)

Complète ce sudoku.

1			
2	3		
4			
			4

36 Les nombres décimaux (2)

Nombres

Calcul mental

Partie entière
de fractions décimales.
$\frac{13}{10}$; $\frac{258}{100}$ ...

COMPÉTENCES : Comparer, ranger, encadrer des nombres décimaux.
Donner une valeur approchée d'un nombre décimal à l'unité près, au dixième près...
Savoir repérer, placer les nombres décimaux sur une droite graduée.

Activités de recherche

1 Parmi ces circuits, lequel est le plus court ? Le plus long ?

Grands Prix de Formule 1			
Pays	Longueur du circuit en km	Pays	Longueur du circuit en km
Allemagne	5,148	Canada	4,36
Australie	5,3	Chine	5,45
Bahreïn	5,412	Espagne	4,653
Belgique	6,973	Hongrie	4,38

Range ces 8 circuits du plus court au plus long.

2 Quels circuits ont une longueur comprise entre 4 km et 5 km ?

Compare d'abord les parties entières puis les parties décimales.

3 Le circuit de Formule 1 de l'Inde a une longueur de 5,141 km.
Place ce circuit dans le rangement que tu as réalisé en **1**.

4 **Écris** la valeur approchée de la longueur des circuits d'Allemagne
et de Bahreïn au centième de kilomètre le plus proche.
À quels circuits correspondent les points A, B, C et D ?

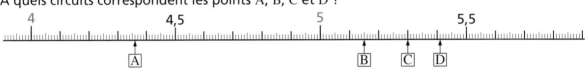

L'essentiel

Comparer

Pour comparer des nombres décimaux, on compare d'abord la partie entière, puis, si nécessaire,
la partie décimale, chiffre par chiffre en partant du premier chiffre après la virgule.

5,348 < 6,1 car 5 < 6 ; 5,348 < 5,79 car 3 < 7 ; 5,348 < 5,36 car 4 < 6

Ranger

Les nombres décimaux peuvent être rangés :
– par ordre croissant (du plus petit au plus grand) : 2,34 < 2,5 < 3 < 3,7
– ou par ordre décroissant (du plus grand au plus petit) : 3,7 > 3 > 2,5 > 2,34

Encadrer

5,24 se trouve entre 5 et 6 : 5 < 5,24 < 6
5,24 se trouve entre 5,2 et 5,3 : **5,2** < 5,24 < **5,3**
car 5,2 = 5,20 et 5,3 = 5,30

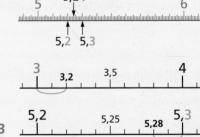

Valeur approchée

La valeur approchée à **l'unité** la plus proche de 3,2 est **3**
car 3,2 est plus proche de 3 que de 4.

La valeur approchée **au dixième** le plus proche de 5,28 est **5,3**
car 5,28 est plus proche de 5,3 que de 5,2.

0,7 se trouve entre 0 et 1.
On écrit : 0 < 0,7 < 1

Banque d'**Exercices** et de **Problèmes** n°s 5 à 7 p. 112.

▌ S'exercer

Repérer et placer un nombre décimal sur une droite graduée

1 **Recopie** la droite graduée et **place** les nombres décimaux sur la graduation.
Range ensuite ces nombres du plus grand au plus petit.

A 12　　　13　　　14　　　15　　　16

14,9 ; 12,8 ; 16,2 ; 12,5 ; 13,4

B 9,5　　　9,6　　　9,7　　　9,8　　　9,9

9,92 ; 9,58 ; 9,84 ; 9,52 ; 9,71

Ranger des nombres décimaux dans l'ordre croissant ou décroissant

2 **Range** ces nombres décimaux dans l'ordre croissant.

A 5,34 ; 2,45 ; 7,1 ; 1,625 ; 5,31 **B** 4,38 ; 5,13 ; 5,035 ; 4,385 ; 5,03

---

3 **Range** ces nombres décimaux dans l'ordre décroissant.

A 12,15 ; 9,8 ; 9,34 ; 11,87 ; 9,235 **B** 12,41 ; 12,3 ; 12,083 ; 12,38 ; 12,703

Encadrer un nombre décimal entre deux nombres entiers consécutifs

4 **Encadre** chaque nombre décimal entre deux nombres entiers qui se suivent.

A 2,8 ; 7,3 ; 10,1 ; 0,4 ; 12,5 **B** 5,87 ; 10,418 ; 6,802 ; 0,123 ; 9,97

Trouver la valeur approchée d'un nombre décimal

5 **Encadre** chaque nombre décimal entre deux nombres décimaux ayant
un seul chiffre après la virgule, puis **entoure** sa valeur approchée
au dixième le plus proche, comme sur l'exemple.

⑤,2 < 5,24 < 5,3 ; … < 12,58 < … ; … < 15,845 < … ; … < 9,97 < … ; … < 12,01 < …

▌ Résoudre

6 Problème guidé

Le sang d'une personne en bonne santé contient
entre 3,7 et 5,9 millions de globules rouges
par millimètre cube (mm³).
Observe le bilan sanguin des quatre patients ci-dessous.
Quels sont ceux qui sont en bonne santé ?

— Cherche quels sont
les patients qui ont plus de
3,7 millions de globules rouges.
— Cherche ensuite les patients
qui ont moins de 5,9 millions
de globules rouges.

Nom du patient	Nombre de globules rouges par mm³
Mme Gache	3,28 millions
M. Rablin	5,45 millions
Mme Salem	3,95 millions
M. Zyrgo	6,02 millions

socle 2 commun

7 Mélissa is wrong. **Show** her with an example.

Il n'y a aucun
nombre décimal
entre 3,45 et 3,46.

Souviens-toi,
tu peux écrire :
3,45 = 3,450
3,46 = 3,460

Le coin du chercheur

Quelles lignes de la figure verte
dois-tu effacer pour obtenir
la figure rouge ?

37 Géométrie
Reproduire des figures planes : utilisation du compas

Calcul mental

Donner l'écriture
à virgule de :
$\dfrac{12}{10}$; $\dfrac{235}{100}$ ...

COMPÉTENCES : Tracer une figure (sur papier uni, quadrillé ou pointé), à partir d'un dessin à main levée (avec des indications relatives aux propriétés et aux dimensions). Utiliser des instruments pour réaliser des tracés.

Activités de recherche ----------------

Quelles formes géométriques simples constituent cette figure ? De quels instruments as-tu besoin pour la tracer ?

Trouve un ordre de construction qui permet de la reproduire. Compare-le à celui de tes camarades.

Trace cette figure à l'aide des instruments. Les cercles ont un rayon de 3 cm.

L'essentiel

Pour reproduire une figure, il faut :
– identifier les différentes formes qui la composent : cercle, rectangle... ;
– retrouver l'ordre de construction de la figure ;
– utiliser les instruments de géométrie.

Par exemple, pour reproduire cette figure :
– je commence d'abord par tracer le rectangle ;
– puis je trace les deux diagonales ;
– enfin je trace le cercle.

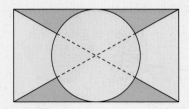

Quand des tracés n'apparaissent pas sur la figure, mais sont indispensables pour sa reproduction, dessine-les avec un trait léger ou en pointillés.

■ S'exercer

1 **Reproduis** ces figures.

A
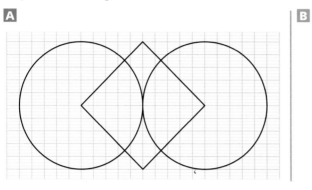

B
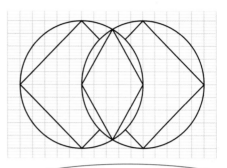

> Les points rouges sont les centres des cercles. Tous les cercles ne sont pas entièrement tracés.

2 **Reproduis** ces figures.

A
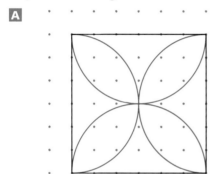

B
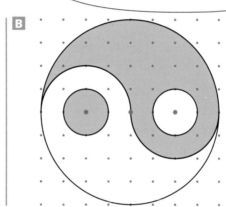

■ Résoudre

3 Problème guidé

Reproduis cette figure sur du papier uni.
Le cercle a un rayon de 4 cm.

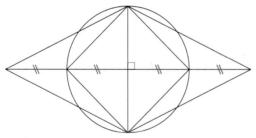

> — Trace d'abord le cercle de rayon 4 cm.
> — Trace deux diamètres perpendiculaires en utilisant l'équerre.
> — Prolonge le diamètre horizontal en respectant les longueurs indiquées...

4 **Trace** cette figure sur du papier uni.

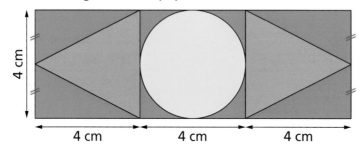

4 cm

4 cm   4 cm   4 cm

Le coin du chercheur

Peut-on placer les nombres 1, 2, 3, 4 et 5 aux sommets de ce pentagone de telle sorte qu'aucun nombre ne se trouve entre celui qui le précède et celui qui le suit ?

85

Calcul réfléchi : somme et différence de petits décimaux

COMPÉTENCE : Calculer la somme ou la différence de deux nombres décimaux sans avoir recours à l'opération posée.

Activités de recherche

1 **Termine** les calculs de Théo.

> **0,8 + 0,4** = 8 dixièmes + 4 dixièmes
> 0,8 + 0,4 = ... dixièmes
> 0,8 + 0,4 = 10 dixièmes + ... dixièmes = 1,...

> Souviens-toi :
> 10 dixièmes = 1

À ton tour, **calcule** 0,7 + 0,5 ; 2,6 + 0,4

2 **Termine** les calculs de Léa et d'Hamed.

> **1,3 – 0,8** = 1 unité 3 dixièmes – 8 dixièmes
> 1,3 – 0,8 = ... dixièmes – 8 dixièmes
> 1,3 – 0,8 = ...

> Moi, je préfère utiliser la droite graduée.
>
> 0,8   1   1,3
>
> 0,8 + ... = 1,3
> 1,3 – 0,8 = ...

À ton tour, **calcule** 1,7 – 0,5 ; 2,1 – 0,6

L'essentiel

Pour additionner ou soustraire des nombres décimaux :

• On peut les transformer en dixièmes ou en centièmes, effectuer les opérations avec les nombres obtenus et les transformer ensuite en nombre à virgule.

0,8 + 0,6 = 8 dixièmes + 6 dixièmes
0,8 + 0,6 = 14 dixièmes = 10 dixièmes + 4 dixièmes = 1,4

1,4 – 0,5 = 14 dixièmes – 5 dixièmes
1,4 – 0,5 = 9 dixièmes = 0,9

• On peut aussi utiliser la droite graduée.
0,6 + **0,9** = 1,5   donc   1,5 – 0,6 = **0,9**

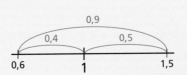

0,1 + 0,9 = 1
0,2 + 0,8 = 1
0,3 + 0,7 = 1
0,4 + 0,6 = 1
0,5 + 0,5 = 1

> **Banque d'Exercices et de Problèmes** nᵒˢ 9 et 10 p. 112.

S'exercer

Calculer des sommes ou des différences de petits décimaux

1 **Calcule** sans poser l'opération.

A 0,4 + 0,3 ; 0,5 + 0,1 ; 0,2 + 0,7
0,5 + 0,5 ; 0,6 + 0,6 ; 0,3 + 0,7

B 0,7 + 0,7 ; 0,9 + 0,8 ; 0,8 + 0,7
1,2 + 0,8 ; 2,8 + 0,5 ; 3,5 + 0,6

2 **Calcule** sans poser l'opération.

A 0,8 – 0,2 ; 0,9 – 0,5 ; 0,8 – 0,3
1,5 – 0,3 ; 2,8 – 0,5 ; 1,7 – 0,2

B 1,2 – 0,2 ; 1,4 – 0,6 ; 2,1 – 0,6
2,7 – 1,3 ; 3,5 – 2,1 ; 5,6 – 4,2

3 **Complète** les égalités à trou.

A 0,6 + ... = 1 ; 0,8 + ... = 1 ; 0,9 + ... = 1
0,3 + ... = 1 ; 0,4 + ... = 1 ; 0,2 + ... = 1

B 1,4 + ... = 2 ; 1,8 + ... = 2 ; 1,3 + ... = 2
2,7 + ... = 3 ; 2,2 + ... = 3 ; 4,5 + ... = 5

39
Nombres

L'addition et la soustraction posées de nombres décimaux

Calcul mental

Additionner un petit décimal.

2,4 + 0,7 ; 1,6 + 0,8...

COMPÉTENCES : Additionner et soustraire deux nombres décimaux. Poser correctement les opérations.

Activités de recherche

Observe, recopie et **complète**.

Pour calculer **48,4 + 5,76 + 14**
je commence par aligner les virgules pour faciliter l'alignement des unités.
J'additionne sans tenir compte des virgules puis je place la virgule dans le résultat.

d	u	dixièmes	centièmes
	(+1)		
4	8,	4	
+	5,	7	6
+ 1	4		
...	...,	11	6

48,4 + 5,76 + 14 = ...

Pour calculer **87,4 – 9,34**
je commence par aligner les virgules pour faciliter l'alignement des unités.
Je complète 87,4 avec un **0** pour faciliter le calcul.
Je soustrais sans tenir compte des virgules puis je place la virgule dans le résultat.

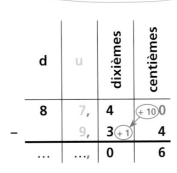

d	u	dixièmes	centièmes
8	7,	4	(+10) 0
–	9,	3 (+1)	4
...	...,	0	6

87,4 – 9,34 = ...

Banque d'Exercices et de Problèmes nᵒˢ II et 12 p. 112.

S'exercer

Poser et calculer des additions de nombres décimaux

❶ **Pose** et **effectue** ces additions.

A
72,8 + 9,5
4,3 + 0,9
45 + 24,12
32 + 16,325

13,5 + 47,5
1,304 + 0,79
36,3 + 18
17,48 + 14

B
109,2 + 3,48
17,64 + 0,49
3,25 + 16 + 2,5
18 + 4,13 + 85

95,75 + 39,5
1,5 + 3,49 + 7,8
46 + 5,9 + 36
15,9 + 36 + 5,18

Poser et calculer des soustractions de nombres décimaux

❷ **Pose** et **effectue** ces soustractions.

A
65,38 – 22,25
94,85 – 7,4
79 – 45,53
90,72 – 65

53,5 – 8,45
6,02 – 5,9
302 – 85,47
200 – 49,5

B
742,18 – 109,25
104,35 – 8,9
4 – 0,915
500 – 4,05

53,5 – 8,45
8,2 – 7,275
521,25 – 28
100 – 0,045

Résoudre

❸ Problème guidé

Place les unités sous les unités... !
N'oublie pas : 39 = 39,00

Voici les achats de Guillaume. Il paie avec un billet de 20 €.
Combien lui rend-on ?

Calcule d'abord le total des dépenses. Attention aux virgules ! Place bien les unités sous les unités... !

0,85€

0,95€

15€

Identifier des triangles

COMPÉTENCE : Vérifier la nature d'une figure en ayant recours aux instruments.

Calcul mental
Dictée
de nombres décimaux.
3 unités et 4 dixièmes ;
2 unités et 5 centièmes…

Activités de recherche

1 **Écris** le nom de chacun de ces triangles.

Pour identifier des triangles,
il faut connaître leurs propriétés. Un triangle
qui ne possède aucune propriété particulière
est un triangle quelconque.

2 Pour chacun des triangles A, B, C et D, **indique** s'il est isocèle, équilatéral, rectangle, ou bien s'il est quelconque.

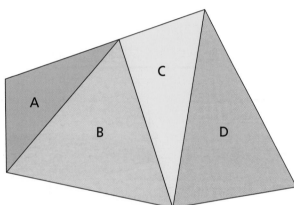

Utilise une
équerre pour trouver
les angles droits et un compas
pour comparer les longueurs
des côtés.

3 **Reproduis** la figure ci-dessus (utilise du papier calque) et découpe les 4 triangles. **Cherche**, par pliage, le nombre d'axes de symétrie de chacun d'eux.

L'essentiel

Triangles particuliers	Nombre de côtés de même longueur	Possède un angle droit	Nombre d'axes de symétrie
Triangle isocèle	2	non	1
Triangle équilatéral	3	non	3
Triangle rectangle	0	oui	0
Triangle rectangle et isocèle	2	oui	1

• Pour savoir si un triangle est un triangle rectangle, on utilise l'équerre.

• Pour savoir si un triangle est isocèle ou équilatéral, on utilise le compas pour comparer les longueurs des côtés ou le pliage pour déterminer le nombre d'axes de symétrie.

 oui

Quand tu utilises le compas
pour comparer deux longueurs, veille
à ne pas modifier son écartement.
Tourne ta feuille pour mieux travailler
sur le triangle.

▬ S'exercer --

Vérifier la nature d'une figure en ayant recours aux instruments

❶ Utilise les instruments de géométrie pour identifier chacun de ces triangles.

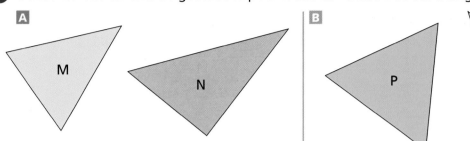

❷ On a partagé le rectangle et le carré en deux triangles. **Identifie** ces deux triangles. **Justifie.**

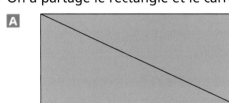

❸ Reproduis ce triangle sur papier quadrillé.
Identifie-le.
Cherche son axe de symétrie (tu peux découper et plier le triangle).
Trace cet axe de symétrie.

▬ Résoudre --

❹ Problème guidé

Dans cette figure, **identifie** quatre triangles rectangles et quatre triangles isocèles.

— Pour identifier les triangles
rectangles utilise les propriétés du rectangle.
— Pour identifier les triangles isocèles utilise
le compas pour comparer les longueurs des segments
OA, OB, OC et OD.
— Désigne chaque triangle par les 3 lettres
qui correspondent à ses sommets.

❺ Parmi les triangles AEB,
AFB, AGB et ABK,
lequel est équilatéral ?

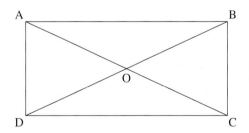

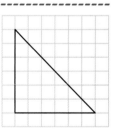

Le coin du cherch**eur**

Partage ce triangle équilatéral
en quatre figures **superposables**.

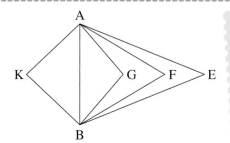

41 Tracer des triangles et leurs hauteurs

Géométrie

COMPÉTENCES : Reproduire un triangle à l'aide d'instruments. Construire une hauteur.

Activités de recherche

Comment tracer un triangle dont les côtés ont pour longueur 7 cm, 5 cm et 6 cm avec le compas et la règle ?

Utilise la méthode de **L'essentiel** pour tracer un triangle dont on connaît les longueurs des côtés.

Trace ce triangle sur ton cahier.
Vérifie ton tracé avec une règle graduée.
Trace ensuite les hauteurs de ce triangle comme l'indique Léa.

Observe comment je trace une hauteur avec l'équerre. Elle passe par un sommet et elle est perpendiculaire au côté opposé.

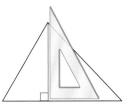

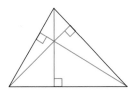

❷ **Trace** un triangle équilatéral de 5 cm de côté.
Trace ensuite ses trois hauteurs.

❸ **Reproduis** le triangle rectangle ci-contre.
Trace en rouge ses trois hauteurs.

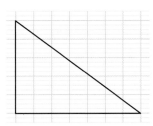

❹ **Essaie de construire** un triangle de côtés 8 cm, 3 cm et 4 cm.
Que constates-tu ?

L'essentiel

Tracer un triangle

Tracer un triangle ABC de côtés AB = 7 cm, AC = 5 cm et BC = 6 cm avec un compas et une règle :

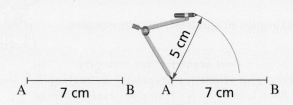

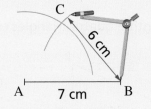

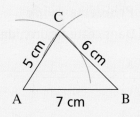

Tracer une hauteur

Une hauteur est issue d'un sommet.
Elle est perpendiculaire au côté opposé à ce sommet.
EH est la hauteur issue de E. Elle est perpendiculaire à FG.

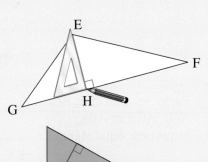

Dans un triangle rectangle, les côtés de l'angle droit sont aussi des hauteurs.

90

■ **S'exercer**

1 **Trace** le triangle avec la règle et le compas.

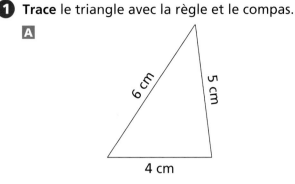

A

6 cm
5 cm
4 cm

B

6,5 cm
5,5 cm
7,5 cm

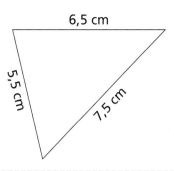

2 **Nomme** la hauteur issue de A.

A

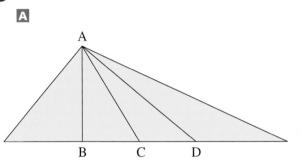

A
B   C   D

B

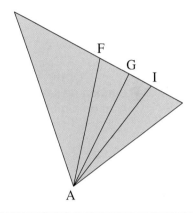

F
G
I
A

3 **Reproduis** le triangle avec la règle et le compas, puis **trace** la hauteur issue de A.

A

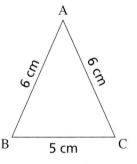

A
6 cm   6 cm
B   5 cm   C

B

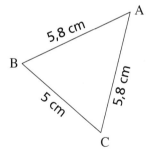

A
5,8 cm
B
5,8 cm
5 cm
C

■ **Résoudre**

4 *Problème guidé*

Trace un triangle rectangle et isocèle.
Ses côtés de même longueur mesurent 5 cm.
Trace la hauteur qui manque.

— Ce sont
les côtés de l'angle droit
qui mesurent 5 cm.
— Les côtés de l'angle droit
sont deux hauteurs.

5 **Trace** un triangle de côtés 6 cm, 8 cm, 10 cm.
Trace en rouge ses hauteurs.
Identifie ce triangle.

Le coin du chercheur

Chaque lettre correspond
à un chiffre.

Quelle est la valeur de chacune
des lettres A, E et L ?

```
    E   L   A
+   E   E   A
+   A   A   A
─────────────
    9   2   8
```

6 Peux-tu tracer un triangle avec les segments suivants :
a. 10 cm, 6 cm, 3 cm ?
b. 10 cm, 6 cm, 5 cm ?

COMPÉTENCE : Calculer mentalement le produit d'un nombre décimal par 10, 100, 1 000.

Activités de recherche

Utilise ta calculatrice pour multiplier 5,487 par 10, puis par 100, puis par 1 000.
Recopie le tableau de numération. **Écris**-y tes résultats.

	m	c	d	u	dixièmes	centièmes	millièmes
Nombre				5,	4	8	7
5,487 × 10			5	4,	8	7	
5,487 × 100							
5,487 × 1 000							

Quand on multiplie par 10, que devient le chiffre des unités ? Celui des dixièmes ?...

En observant les nombres, on constate que la virgule se déplace de 1, de 2 ou de 3 rangs vers la droite.

Observe les nombres écrits dans le tableau. De combien de cases les chiffres se sont-ils déplacés vers la gauche lorsqu'on a multiplié le nombre par 10 ? Par 100 ? Par 1 000 ?

L'essentiel

Pour multiplier un nombre décimal par 10, 100, 1 000, on déplace la virgule de 1, 2, 3 rangs vers la droite du nombre.

2,561 × **10** = 25,61	2,561 × **100** = 256,1	2,561 × **1 000** = 2 561,0 = 2 561
1 rang vers la droite	**2 rangs vers la droite**	**3 rangs vers la droite**

Si nécessaire, écris des zéros à la fin de la partie décimale !

6,7 × **10** = 67
6,7 × **100** = 6,70 × **100** = 670
6,7 × **1 000** = 6,700 × **1 000** = 6 700

Banque d'**Exercices** et de **Problèmes** nos 17 à 19 p. 113.

S'exercer

Multiplier un nombre décimal par 10, 100, 1 000

❶ Trouve la réponse exacte parmi les résultats proposés.

A 1,82 × 10 → 18,2 ; 182
3,255 × 100 → 32,55 ; 325,5
54,432 × 1 000 → 54 432 ; 5 443,2

B 85,7 × 10 → 85,70 ; 8,57 ; 857
0,6 × 100 → 600 ; 60 ; 6
0,009 × 1 000 → 9 ; 0,9 ; 90

❷ Calcule.

A 1,54 × 10 ; 2,671 × 100 ; 4,129 × 1 000
10 × 34,56 ; 100 × 23,158 ; 1 000 × 14,476

B 2,5 × 10 ; 25,6 × 100 ; 32,8 × 1 000
100 × 40,3 ; 10 × 34,5 ; 1 000 × 46,7

❸ Recopie et **complète.**

A 4,5 × ... = 450 ; 24,8 × ... = 248
7,55 × ... = 75,5 ; 3,714 × ... = 3 714

B 4,50 × ... = 4 500 ; 24,8 × ... = 2 480
0,5 × ... = 50 ; 0,06 × ... = 60

Diviser un nombre décimal par 10, par 100, …

COMPÉTENCE : Calculer mentalement le quotient d'un nombre décimal par 10, 100, 1 000.

Activités de recherche

Utilise ta calculatrice pour diviser 48,6 par 10, puis par 100, puis par 1 000.
Recopie le tableau de numération. **Écris**-y tes résultats.

	m	c	d	u	dixièmes	centièmes	millièmes	dix-millièmes
Nombre			4	8,	6			
48,6 ÷ 10				4,	8	6		
48,6 ÷ 100								
48,6 ÷ 1 000								

Quand on divise par 10, que devient le chiffre des unités ? Celui des dixièmes ?...

En observant les nombres, on constate que la virgule se déplace de 1, de 2 ou de 3 rangs vers la gauche.

Dans le tableau, tous les chiffres se décalent vers la droite d'une case lorsqu'on divise par 10. De combien de cases se déplacent-ils lorsqu'on divise par 100 ? Par 1 000 ?

L'essentiel

Pour diviser un nombre décimal par 10, 100, 1 000, on déplace la virgule de 1, 2, 3 rangs vers la gauche du nombre.

148,6 ÷ **10** = 14,86	148,6 ÷ **100** = 1,486	148,6 ÷ **1 000** = 0,1486
1 rang vers la gauche	**2 rangs vers la gauche**	**3 rangs vers la gauche**

N'hésite pas à écrire des zéros devant la partie entière si nécessaire...

23 ÷ **10** = 23,0 ÷ 10 = 2,3
23 ÷ **100** = 0,23
23 ÷ **1 000** = 0,023

Banque d'Exercices et de Problèmes nᵒˢ 20 à 22 p. 113.

S'exercer

Diviser un nombre décimal par 10, 100, 1 000

❶ Trouve la réponse exacte parmi les résultats proposés.

A 182,5 ÷ 10 → 1,825 ; 18,25
325,5 ÷ 100 → 3,255 ; 32,55
5 443,5 ÷ 1 000 → 54,435 ; 5,4435

B 5,7 ÷ 10 → 0,57 ; 57,0
1,6 ÷ 100 → 0,16 ; 0,016
9,7 ÷ 1 000 → 0,097 ; 0,0097

❷ Calcule.

A 15,4 ÷ 10 ; 267,4 ÷ 100 ; 4 129,5 ÷ 1 000
4,56 ÷ 10 ; 123,15 ÷ 100 ; 2 145,6 ÷ 1 000

B 2,5 ÷ 10 ; 35,6 ÷ 100 ; 42,8 ÷ 1 000
4,35 ÷ 100 ; 34,90 ÷ 10 ; 6,75 ÷ 1 000

❸ Recopie et **complète.**

A 14,5 ÷ ... = 1,45 ; 135,8 ÷ ... = 1,358
4,37 ÷ ... = 0,437 ; 27,5 ÷ ... = 0,275

B 5,7 ÷ ... = 0,057 ; 2,4 ÷ ... = 0,0024
0,5 ÷ ... = 0,005 ; 0,06 ÷ ... = 0,006

COMPÉTENCE : Vérifier la nature d'une figure en ayant recours aux instruments.

Activités de recherche

Trace un cercle de rayon 4 cm.
Reporte 6 fois le rayon sur le cercle.
Marque les points et **nomme**-les successivement 1, 2, 3, 4, 5, 6.
Trace les segments qui joignent ces points dans l'ordre de la numérotation.
Termine en reliant le 1 et le 6.
Nomme le polygone obtenu.
Compare les longueurs de ses côtés.
Compare ses angles.

Le nom d'un polygone dépend du nombre de ses côtés. Un polygone est régulier si tous ses côtés ont la même longueur et si tous ses angles sont superposables.

Le polygone que tu as tracé est-il régulier ? Utilise un compas pour comparer les longueurs de ses côtés et un papier calque pour comparer ses angles.

Résoudre

1 **Trace** un cercle de rayon 5 cm.
Reporte 6 fois le rayon sur le cercle.
Marque les points et nomme-les successivement 1, 2, 3, 4, 5, 6.

a. Trace, en bleu, les segments qui joignent les points 1, 3, 5, 1.
Compare les longueurs des côtés du polygone obtenu.
Compare ses angles.
Nomme le polygone obtenu. Est-il régulier ?

b. Trace, en rouge, les segments qui joignent les points 1, 2, 4, 1.
Ce triangle est-il rectangle ?

c. Trace, en noir, les segments qui joignent les points 1, 2, 4, 5, 1.
Comment se nomme le polygone obtenu ?
Justifie ta réponse.

d. Trace, en vert, les segments qui joignent les points 1, 2, 4, 6, 1.
Le polygone obtenu est-il régulier ?
Les diagonales de ce polygone sont-elles perpendiculaires ?

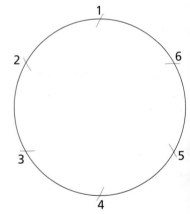

---

2 **Trace** un cercle et son diamètre AC.
Place un point B sur ce cercle pour que le triangle ABC soit isocèle.
Le triangle ABC possède-t-il un angle droit ? **Nomme** ce triangle.

---

3 **Trace** un cercle de centre O et un rayon OA.
Place un point B sur le cercle pour que le triangle OAB soit équilatéral.
Trace ce triangle.

45

ATELIER INFORMATIQUE 3 :
Tracer des triangles

1. Ouvre le **traitement de texte OpenOffice.org Writer***.
Vérifie si la barre de boutons ci-dessous apparaît en bas de la fenêtre.

Si elle n'apparaît pas, clique sur le bouton ✒ « Dessin » dans la barre du haut.

2. Clique ensuite sur la flèche noire à droite du bouton« Formes de base ».
Voici ce que tu obtiens :

a. Pour tracer un triangle isocèle
– Clique sur le triangle isocèle.
– Pour tracer le triangle, déplace la souris, clic gauche maintenu.
– Imprime-le et vérifie qu'il est isocèle.

• Ce triangle est isocèle, car…

b. Pour tracer un triangle équilatéral
– Recommence ce travail, mais, pendant que tu traces le triangle, maintiens la touche ⬆ « Majuscule »
enfoncée.
– Imprime-le et vérifie qu'il est équilatéral.

• Ce triangle est équilatéral, car…

c. Pour tracer un triangle rectangle
– Clique sur la forme que tu dois choisir pour tracer un triangle rectangle.
– Imprime-le et vérifie qu'il est rectangle.

• Ce triangle est rectangle, car…

d. Trace un nouveau triangle rectangle en maintenant la touche ⬆ « Majuscule » enfoncée.
Imprime-le. Que peux-tu dire ?

• Ce triangle est… et…, car il a…

3. Clique ensuite sur l'une des figures que tu as obtenues. En utilisant les boutons ci-dessous :

modifie l'aspect et la couleur des côtés et des surfaces.
Cette barre d'outils apparaît en haut lorsque tu cliques
sur une figure.
Tu peux, par exemple, obtenir les figures ci-contre :

---

* Cette activité est conçue à l'aide du logiciel OpenOffice. Elle peut être **facilement adaptée et réalisée avec
tout autre logiciel** de traitement de texte équipé des outils de dessin.

Mesurer des longueurs (2)

COMPÉTENCES : Connaître et utiliser les unités de longueurs.

▰▰▰ Activités de recherche

1 Fabien a reçu une maquette de voiture.
Quelle est, en cm, la longueur
de la maquette ? Sa hauteur ?

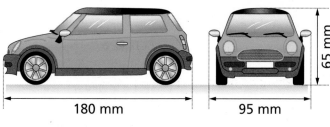

180 mm   95 mm

65 mm

2 Fabien veut ranger la maquette
dans une de ces boîtes.

Laquelle choisir ?

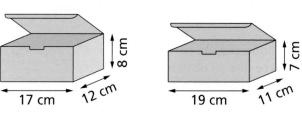

5 cm
20 cm   10 cm

8 cm
17 cm   12 cm

7 cm
19 cm   11 cm

3 Les dimensions de la voiture réelle sont 20 fois plus grandes que celles de la maquette.
Quelles sont, en mètres, les dimensions réelles de la voiture : longueur, largeur, hauteur ?

4 Le père de Fabien
le conduit chaque
jour au collège.
Il prend Pascal et
Amélie sur le trajet.
Quelle distance, en
kilomètres, parcourt-il
chaque matin pour
accompagner
les enfants au collège ?

2,4 km

Amélie

1/2 km

9 hm

Pascal

N'oublie pas de
convertir les mesures
dans la même unité.

L'essentiel

Convertir

	km	hm	dam	m	dm	cm	mm	
850 m en **hm**		8	5	0				8,5 hm
152 mm en **m**				0	1	5	2	0,152 m

	km	hm	dam	m	dm	cm	mm	
21,5 hm en **km**	2	1	5					2,15 km
3,05 m en **dm**				3	0	5		30,5 dm

1 km = 1 000 m   1 dam = 10 m $\frac{1}{2}$ m = 0,5 m = 50 cm

1 hm = 100 m   1 m = 10 dm = 100 cm = 1 000 mm $\frac{3}{4}$ m = 0,75 m = 75 cm

Comparer, calculer

Pour **comparer, ajouter ou retrancher** des mesures de longueurs,
il faut les exprimer avec la même unité.

2 km 50 m = 2,050 km
et non 2,50 km

S'exercer

Convertir des unités de longueur

1 **Convertis.**

A
6 m = ... cm   7 km = ... m
9 cm = ... m   37 mm = ... cm
156 cm = ... m   4 567 m = ... km

B 2,8 m = ... cm   7,5 cm = ... mm
5,9 km = ... m   134,5 cm = ... m
5,9 km = ... m   567,4 m = ... hm

Comparer des longueurs exprimées dans des unités différentes

2 **Range** dans l'ordre croissant.

A • 3 km   ;   2 860 m   ;   45 hm
• 370 cm   ;   9 dm   ;   4 50 mm

B • 0,8 km   ;   9,6 dam   ;   12,5 hm
• 1,5 m   ;   12,7 dm   ;   347 mm

Calculer avec des longueurs

3 **Calcule.**

A 3 km + 2 860 m = ... km
370 cm + 9 dm + 450 mm = ... m

B 1,5 km + 900 m = ... km
1,5 cm + 12,7 dm + 347 mm = ... m

Exprimer une masse avec les nombres décimaux ou les fractions

4 **Recopie** et **complète** selon l'exemple.

Longueur	25 cm	... cm	75 cm	... cm	... cm
Écriture décimale	0,25 m	0,5 m	... m	... m	... m
Écriture fractionnaire	$\frac{1}{4}$ m	... m	... m	$\frac{1}{100}$ m	$\frac{1}{10}$ m

> N'oublie pas d'exprimer toutes les mesures avec la même unité.

Résoudre

5 Problème guidé

Pour atteindre le refuge, Natacha
marche 2,5 km sur la route, prend un chemin
sur 1 600 m puis grimpe 9,6 hm sur un sentier.
Quelle distance, en kilomètres, a-t-elle parcourue ?

> Tu peux :
> — soit convertir toutes les mesures en mètres, les additionner puis convertir le résultat en kilomètres ;
> — soit convertir toutes les mesures en kilomètres puis les additionner.

6 Quelle est la distance, en kilomètres,
entre la piscine et la mairie ?

Piscine 900 m   Mairie 1,2 km

7 Émilie mesure 1,64 m.
John, son correspondant anglais, lui a écrit
qu'il mesurait 5 pieds 5 pouces.
Est-il plus grand qu'Émilie ?

Unité de longueur anglaise	Équivalence système décimal
Pouce	25,4 mm
Pied	304,8 mm

Le coin du chercheur

Dans un enclos, on trouve des autruches et des antilopes.
On compte 9 têtes et 24 pattes.

Combien d'autruches et d'antilopes sont dans cet enclos ?

47 Nombres
Calcul réfléchi : produit d'un nombre décimal par un nombre entier

COMPÉTENCE : Calculer en ligne le produit d'un nombre décimal par un nombre entier.

Activités de recherche

Je calcule : 1,2 × 4
C'est 4 fois 12 dixièmes.
ce qui fait 48 dixièmes
1,2 × 4 = ...

Je calcule : 0,54 × 2
C'est 2 fois 54 centièmes,
ce qui fait 108 centièmes.
0,54 × 2 = ...

Moi, je calcule autrement 1,2 × 4 :
1,2 c'est 12 ÷ 10.
Donc pour calculer 1,2 × 4, je calcule 12 × 4
puis je divise le résultat par 10.
12 × 4 = ...
1,2 × 4 = ...

À ton tour, **calcule** 0,75 × 3.

L'essentiel

Pour calculer le produit d'un nombre décimal par un nombre entier, on effectue
la multiplication sans tenir compte de la virgule, puis on place la virgule dans le résultat.

Le résultat aura 1, 2 ou 3 chiffres après la virgule selon que l'on a multiplié des dixièmes,
des centièmes ou des millièmes.

1,2 × 4 = 12 dixièmes × 4 = 48 dixièmes = 4,8
1,21 × 4 = 121 centièmes × 4 = 484 centièmes = 4,84
1,212 × 4 = 1212 millièmes × 4 = 4848 millièmes = 4,848

Banque d'**Exercices** et de **Problèmes** nᵒˢ 26 et 27 p. 113.

S'exercer

Multiplier un nombre décimal par un nombre entier

❶ Calcule comme Théo sans poser l'opération.

A 0,2 × 6 ; 0,5 × 7 ; 1,2 × 5
0,4 × 5 ; 0,6 × 4 ; 1,5 × 3

B 5,2 × 3 ; 2,5 × 4 ; 4,2 × 2
3,1 × 4 ; 1,2 × 4 ; 2,5 × 2

❷ Calcule comme Léa sans poser l'opération.

A 0,02 × 6 ; 0,04 × 5 ; 0,08 × 2
0,24 × 2 ; 0,14 × 3 ; 1,02 × 4

B 1,05 × 4 ; 2,03 × 2 ; 1,07 × 5
1,25 × 2 ; 1,15 × 4 ; 2,50 × 4

❸ Utilise les produits déjà effectués pour calculer les autres.

A • 24 × 6 = 144   2,4 × 6   24 × 0,6
• 94 × 19 = 1 786   9,4 × 19   94 × 1,9

B • 92 × 18 = 1 656   9,2 × 18   92 × 0,18
• 107 × 12 = 1 284   107 × 1,2   0,107 × 12

❹ Calcule comme Boris sans poser l'opération.

A 0,5 × 2   0,2 × 7   0,9 × 6
0,33 × 3   0,05 × 5   0,25 × 4

B 0,7 × 5   0,9 × 9   1,8 × 2
2,05 × 3   3,12 × 2   1,25 × 4

Calcul mental

Donner l'écriture décimale à virgule de :
145 dixièmes ;
158 centièmes...

COMPÉTENCE : Multiplier un nombre décimal par un nombre entier.

Activités de recherche

Observe, recopie et **complète.**

3,064 c'est 3 064 millièmes. J'effectue d'abord la multiplication sans tenir compte de la virgule.

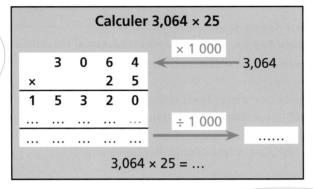

Calculer 3,064 × 25

```
      3  0  6  4      ← × 1 000      3,064
   ×        2  5
   1  5  3  2  0
   ... ... ... ... ...    ÷ 1 000
   ... ... ... ... ...              ......
```

3,064 × 25 = ...

Le résultat de la multiplication est en millièmes. Pour l'écrire avec une virgule, je place la virgule à 3 rangs à partir de la droite.

À ton tour, **calcule** 4,48 × 27.

Je supprime les zéros à la fin de la partie décimale.

L'essentiel

Pour multiplier un nombre décimal par un nombre entier :
– on effectue d'abord la multiplication sans tenir compte de la virgule ;
– on place ensuite la virgule à 1 rang, 2 rangs ou 3 rangs à partir de la droite, selon que le nombre décimal possède 1, 2 ou 3 chiffres après la virgule ;
– si nécessaire, on supprime ensuite les zéros à la fin de la partie décimale.

Banque d'**Exercices** et de **Problèmes** n°s 28 à 30 p. 113.

S'exercer

Trouver la position de la virgule

❶ Pour calculer les produits suivants, **utilise** le résultat : **35 × 41 = 1 435**

A 3,5 × 41 ;   0,35 × 41 ;   0,035 × 41   **B** 35 × 4,1 ;   35 × 0,041 ;   35 × 0,41

Poser correctement des opérations, multiplier un nombre décimal par un nombre entier

❷ **Pose** et **effectue.**

A 6,7 × 5 ;   1,83 × 4
18,9 × 24 ;   8,63 × 35
2,125 × 55 ;   0,321 × 31

B 0,35 × 9 ;   134,55 × 8
3,09 × 56 ;   26,5 × 452
8,6 × 970 ;   0,47 × 540

Résoudre

❸ **Problème guidé**

Un carton contient 700 balles en matière plastique qui coûtent chacune 0,24 €.
Quel est le prix de ce carton de balles ?

Pose 0,24 × 700 plutôt que 700 × 0,24
Dans l'écriture du résultat final pense à supprimer les zéros à la fin de la partie décimale.

ocle 3
mmun

❹ Un voilier a parcouru 57 milles marins dans la journée.
(1 mille marin = 1,852 km).
Convertis cette distance en kilomètres.

Le coin du chercheur

Aujourd'hui Laura a 36 ans. L'âge de son chat Minou est le quart du sien. Elle est trois fois plus âgée que son chien Kiki.
Quels sont les âges de Kiki et de Minou ?

49 Données — Lire des graduations

COMPÉTENCE : Lire des graphiques.

Calcul mental

Ajouter deux nombres.
436 + 54 ; 205 + 36…

▬ Activités de recherche ▬▬▬▬▬▬▬▬▬

① **Observe** les graduations ci-contre. Pour chaque schéma A, B et C :
- Combien comptes-tu de graduations entre 20 et 30 ?
- Quelle est la valeur de l'intervalle entre 2 graduations ?
- Quel nombre la flèche rouge indique-t-elle ?

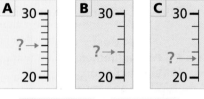

② **Observe** les graduations ci-contre. Pour chaque schéma D et E :
- Quelle est la valeur de l'intervalle entre 2 graduations ?
- À quel nombre correspond la flèche rouge ?

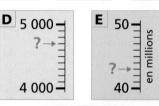

Attention, E est gradué en millions.

Banque d'**Exercices** et de **Problèmes** n° 31 p. 114.

▬ S'exercer ▬▬▬▬▬▬▬▬▬▬▬▬▬▬▬

Lire des graduations

① Voici la jauge de carburant de la voiture de Paul.
- **Indique** la quantité de carburant qui reste dans le réservoir lundi et mardi.
- **Évalue** la quantité de carburant qui reste dans le réservoir mercredi.

Lundi   Mardi   Mercredi

Socle commun 5

Lire des graduations sur un graphique

② • Quelles sont les longueurs du Danube et du Nil ?
• Le Mississipi mesure-t-il plus ou moins de 6 500 km ?
Évalue sa longueur.
• **Évalue** la longueur de l'Amazone.

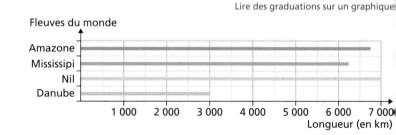

Socle commun 5

③ • Quelle est la population de l'Italie ?
• Quelle est la valeur de l'intervalle entre deux grandes graduations ?
• Quelle est la population de la France ?
• La Pologne a-t-elle plus ou moins de 35 millions d'habitants ?
Évalue sa population.
• Le Royaume-Uni a-t-il plus ou moins de 65 millions d'habitants ?
Évalue sa population.

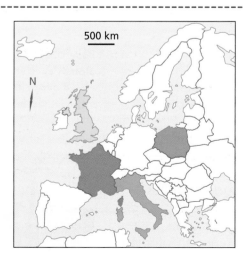

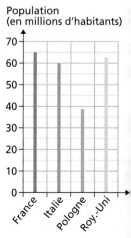

50
Nombres

La multiplication posée d'un nombre décimal par un nombre décimal

COMPÉTENCE : Multiplier un nombre décimal par un nombre décimal.

Calcul mental

Multiplier par 10.
1,45 ; 0,785…

Activités de recherche

Observe, recopie et complète.

Je multiplie sans tenir compte des virgules.

Calculer 5,48 × 16,5

```
          5,  4  8
     ×    1  6,  5
       2  7  4  0
    3  2  8  8  0
    5  4  8  0  0
    …  …,  …  …  …
```

5,48 × 16,5 = …

Le nombre décimal **5,48** compte 2 chiffres après la virgule. Le nombre décimal **16,5** compte 1 chiffre après la virgule. Le résultat de l'opération aura donc 3 chiffres après la virgule.

Je supprime le zéro à la fin de la partie décimale.

À ton tour, **calcule** 0,185 × 40,2.

L'essentiel

Pour multiplier un nombre décimal par un nombre décimal :
– on effectue d'abord la multiplication sans tenir compte de la virgule ;
– on place la virgule au résultat en tenant compte du nombre total de chiffres après la virgule des deux nombres que l'on multiplie ;
– si nécessaire, on supprime ensuite les zéros à la fin de la partie décimale.

Banque d'**Exercices** et de **Problèmes** n° 32 et 33 p. 114.

S'exercer

Trouver la position de la virgule

❶ Pour calculer les produits suivants, **utilise** le résultat : 365 × 82 = 29 930

A 36,5 × 8,2 ; 3,65 × 8,2 ; 0,365 × 8,2   **B** 3,65 × 0,82 ; 36,5 × 0,82 ; 0,365 × 0,82

Poser correctement des opérations, multiplier un nombre décimal par un nombre décimal

❷ Calcule en posant l'opération.

A 18,3 × 4,5   52,5 × 3,6   **B** 2,754 × 50,3   0,018 × 0,63
      8,9 × 1,4   4,03 × 0,6   2,59 × 3,8   20,8 × 0,05
     112,5 × 2,6   0,324 × 5,1   0,017 × 5,6   0,827 × 50,6

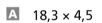

Résoudre

❸ Problème guidé

Lucile achète un rôti de 1,2 kg. Combien va-t-elle payer ?

Quand tu poses la multiplication, écris en premier le nombre qui a le plus de chiffres. N'oublie pas la virgule dans le résultat.

❹ Un mètre de ruban en satin vaut 1,20 €. Combien coûte le rouleau de 10,5 m ?

Socle 2 commun

❺ À Manhattan, Lucie achète une glace à 2,80 $. Quel est le prix de cette glace, en euro, sachant que 1 $ = 0,85 €.

Le coin du chercheur

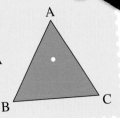

Le disque blanc est-il plus près du sommet A que du côté BC ?

Mesurer des masses

COMPÉTENCES : Connaître et utiliser les unités usuelles de mesure des masses.
Résoudre des problèmes dont la résolution implique des conversions.

Activités de recherche

Voilà ce que je vais mettre dans mon sac à dos pour camper.

Tente :	2,7 kg
Tapis de sol :	44 g
Sac de couchage :	75 dag
Bouteille d'eau :	$\frac{1}{2}$ kg
Trousse de toilette :	6,98 hg
Vêtements :	2,6 kg
Nourriture :	4 920 g
Sac à dos :	234 g

Moi, mon sac à dos est très lourd, il pèse 10 kg.

1 En t'aidant du tableau de conversion de **L'essentiel**, **calcule** la masse que va porter Léa.

2 Qui a le sac à dos le plus lourd : Léa ou Théo ?

3 Théo se propose de porter la nourriture de Léa. Quelle sera alors la masse du sac à dos de Théo ? Du sac à dos de Léa ?

L'essentiel

Convertir

	kg	hg	dag	g	dg	cg	mg	
1 673 g en kg	1	6	7	3				1,673 kg
42 mg en g				0	0	4	2	0,042 g

	kg	hg	dag	g	dg	cg	mg	
12,5 hg en kg	1	2	5					1,25 kg
2,05 g en dg				2	0	5		20,5 dg

1 tonne (t) = 1 000 kg   1 quintal (q) = 100 kg

1 kg = 1 000 g   1 dag = 10 g $\frac{1}{2}$ kg = 0,5 kg = 500 g

1 hg = 100 g   1 g = 10 dg = 100 cg = 1 000 mg $\frac{3}{4}$ kg = 0,75 kg = 750 g

Comparer, calculer

Pour **comparer, ajouter ou retrancher** des mesures de masses, il faut les exprimer avec la même unité.

2 kg 50 g = 2,050 kg et non 2,50 kg !

S'exercer

Convertir des masses

1 **Recopie** et **complète** ces égalités.

A 32 t = ... kg   11 q = ... kg
4 kg 50 g = ... kg   1 dg 5 cg = ... g

B 0,5 kg = ... g   1,02 kg = ... g
0,5 g = ... mg   350 g = ... hg

Comparer des masses

2 **Range** ces masses par ordre décroissant.

A • 4 dag ; 1 500 g ; 12 hg
• 541 mg ; 6 g ; 56 cg

B • 1,4 t ; 150 kg ; 12 q
• 5,35 g ; 458 cg ; 51,9 dg

Calculer avec des masses

3 Combien pèse chaque fruit ?

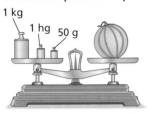
Le melon pèse ... g.

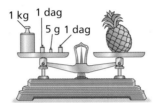
L'ananas pèse ... kg.

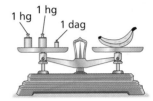
La banane pèse ... g.

Exprimer une masse avec les nombres décimaux ou les fractions

4 **Recopie** et **complète** le tableau selon l'exemple.

Masse	500 g	... g	... g	1 g	... g	... g
Écriture décimale	0,5 kg	0,250 kg	... kg	... kg	0,10 kg	... kg
Écriture fractionnaire	$\frac{1}{2}$ kg	... kg	$\frac{3}{4}$ kg	... kg	... kg	$\frac{1}{100}$ kg

Résoudre

5 Problème guidé
Trouve la masse du chiot.

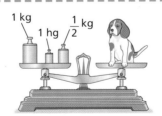

Exprime toutes les masses en kilogramme avant de les additionner.

6 Le Régent était le plus beau diamant de la couronne de France. Il fut longtemps le symbole de la royauté. Il pesait environ 140 carats. Sachant que 1 carat = 200 mg, **calcule**, en grammes, la masse de ce diamant.

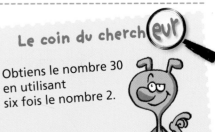

7 **Calcule**, en kg, la masse de chacune des potions magiques que Yasmanina la Sorcière a préparées.

POTION HYSTIRICUM
1,25 kg d'herbium
72 g de gelénium
8 g de secrétium

POTION RIGOLUM
12,300 kg de figaris
0,75 kg d'explosium
3 230 g de nésourie

Le coin du chercheur

Obtiens le nombre 30 en utilisant six fois le nombre 2.

Mesurer des contenances

COMPÉTENCES : Connaître et utiliser les unités usuelles de mesure des contenances.
Résoudre des problèmes dont la résolution implique des conversions.

▉ Activités de recherche -----------------------------

Voici la recette du cocktail Rock.

Je ne sais pas quel verre utiliser pour faire ce cocktail.

> **Recette du cocktail Rock pour un verre**
> – 1 dL de jus d'ananas
> – 0,6 dL de jus de fruit de la passion
> – 2 cL de sirop de grenadine
> – 1 cL de jus de citron

1 Quelle est, en mL, la quantité totale de tous les ingrédients de ce cocktail ?

2 Ophélie a le choix entre deux verres : l'un de 125 mL et un autre de 200 mL. Lequel doit-elle utiliser pour préparer ce cocktail ?

3 Ophélie achète 1 L de jus d'ananas, $\frac{1}{2}$ L de jus de fruit de la passion,

0,75 L de grenadine et 125 mL de jus de citron.
Aura-t-elle assez d'ingrédients pour réaliser 6 verres de 200 mL de cocktail ?

L'essentiel

Convertir

	kL	hL	daL	L	dL	cL	mL	
1 673 L en daL	1	6	7	3				167,3 daL
1 152 mL en L				1	1	5	2	1,152 L

	kL	hL	daL	L	dL	cL	mL	
2,805 hL en L		2	8	0	5			280,5 L
3,05 L en cL				3	0	5		305 cL

1 hL = 100 L   1 L = 10 dL = 100 cL $\frac{1}{2}$ L = 0,5 L = 50 cL

1 daL = 10 L   1 L = 1 000 mL $\frac{3}{4}$ L = 0,75 L = 75 cL

Comparer
Pour comparer des contenances, il faut les exprimer dans la même unité.
        0,6 L > 596 mL   car   0,6 L = 600 mL   et   600 mL > 596 mL

Calculer
Pour effectuer des calculs avec les contenances, il faut les exprimer avec la même unité.
        1 daL + 2,5 L + 5 dL = 10 L + 2,5 L + 0,5 L = 13 L

Dans le tableau de conversion, n'écris qu'un chiffre par colonne !

> 2 L 5 cL = 2,05 L

!

■ S'exercer

Convertir des unités de contenance

1 **Recopie** et **complète**.

A
2 L = … cL   650 cL = … L
1,5 L = … cL   0,6 L = … mL
250 L = … hL   12 hL = … L

B
25 cL = … L   75 mL = … L
0,05 L = … mL   2 L 5 cL = … cL
24,5 hL = … L   5 hL 8L = … L

Comparer des contenances

2 **Range** ces contenances par ordre décroissant.

A • 2 hL ; 15 daL ; 620 L
   • 42 cL ; 350 mL ; 6 dL

B • 2,15 hL ; 6,8 daL ; 302 L ; 0,9 hL
   • 0,24 L ; 58,5 cL ; 460 mL ; 3,6 dL

Calculer avec des contenances

3 **Calcule**, en litre, le volume de chaque cocktail.

Le Junior	Le Dunk	Le 3D
33 cL de Coca-cola®	$\frac{1}{2}$ L de lait $\frac{3}{4}$ L de limonade	75 cL de limonade
2,5 dL de Perrier®		5 dL de jus d'orange
2 mL de sirop de myrtilles	200 mL de sirop d'orgeat	100 mL de jus de pamplemousse

Exprimer une contenance avec les nombres décimaux ou les fractions

4 **Recopie** et **complète** selon l'exemple.

Contenance	25 cL	… cL	75 cL	… cL	… mL
Écriture décimale	0,25 L	… L	… L	… L	… L
Écriture fractionnaire	$\frac{1}{4}$ L	$\frac{1}{2}$ L	… L	$\frac{1}{100}$ L	$\frac{1}{1\,000}$ L

■ Résoudre

5 Problème guidé

La citerne d'un camion contient 55 hL de fioul domestique.
Le livreur remplit une grande cuve de 2 500 L,
puis 8 petites cuves de 2 hL.
Combien de litres de fioul
lui reste-t-il dans la citerne
de son camion?

— Exprime d'abord les contenances avec la même unité.
— Calcule ensuite la quantité totale de fioul livrée pour trouver ce qu'il lui reste.

6 À combien de cL correspond une graduation de cette éprouvette ?
Quelle est, en cL, la quantité de liquide dans l'éprouvette ?
Convertis ce résultat en litre.

200 cL—
100 cL—

7 Nils est malade.
Matin et soir, pendant une semaine, il doit prendre
2 cuillérées à café de sirop. La bouteille de sirop
a une contenance de 12 cL. La contenance
d'une cuillère à café est de 5 mL.
Une bouteille de sirop suffira-t-elle
pour une semaine ?

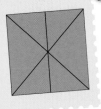

Le coin du cherch eur

Trace un carré,
puis découpe-le
en six pièces
selon ce modèle.
Assemble-les pour
former un triangle
isocèle.

Lire et interpréter un graphique

COMPÉTENCES : Lire et interpréter des graphiques variés.

Activités de recherche ------------------------

① **Observe** ce graphique.
- Que représente-t-il ?
- Quelle grandeur est représentée sur la droite graduée verticale ?
- Quelle grandeur est représentée sur la droite graduée horizontale ?
- Sur la droite verticale, à quoi correspond l'intervalle entre :
  – deux grandes graduations ?
  – deux petites graduations ?

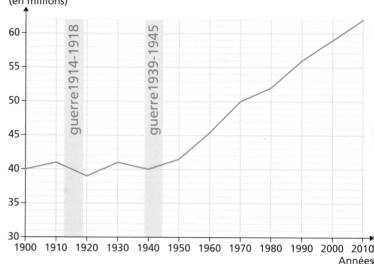

Évolution de la population de la France métropolitaine

Nombre d'habitants (en millions)

guerre1914-1918

guerre1939-1945

Années

② **Observe** la courbe bleue.
- Que constates-tu au premier coup d'œil ?
- **Trouve** les années entre lesquelles la population a diminué.
- Quelle était environ la population de la France en 1910 ? En 1970 ? En 1980 ?
- De combien d'habitants la population a-t-elle augmenté entre 1900 et 1950 ? Entre 1950 et 2000 ?

Sur un graphique, généralement, tu ne peux lire que des valeurs approchées.

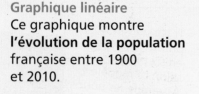

L'essentiel

Les trois types de graphiques les plus fréquents sont :

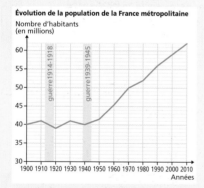

Évolution de la population de la France métropolitaine

Nombre d'habitants (en millions)

guerre1914-1918

guerre1939-1945

Années

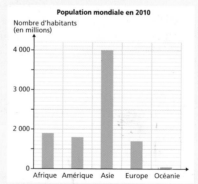

Population mondiale en 2010

Nombre d'habitants (en millions)

Afrique Amérique Asie Europe Océanie

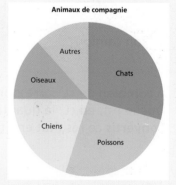

Animaux de compagnie

Autres

Chats

Oiseaux

Chiens

Poissons

Graphique linéaire
Ce graphique montre **l'évolution de la population** française entre 1900 et 2010.

Graphique en bâtons
Ce graphique permet **de connaître et de comparer** la population mondiale, par continent.

Graphique circulaire
Ce graphique permet **de représenter la répartition** de différents animaux de compagnie.

Résoudre

1 Ce graphique représente l'évolution de l'espérance de vie moyenne à la naissance depuis 1900.
● Quelle grandeur est représentée sur la droite graduée verticale ?

Un enfant qui naissait en 1900 avait une espérance de vie de 45 ans environ.
● Quelle était l'espérance de vie pour un enfant né en 1910 ? En 1920 ? En 1960 ? En 2010 ?

● Comment expliques-tu la diminution de cette espérance de vie en 1915 ? En 1945 ?

Espérance de vie à la naissance (France Métropolitaine)

2 Ce graphique représente la production de voitures par quelques grands constructeurs automobiles en 2010.
● Lequel a construit le plus de voitures ?

Fiat a produit environ 2,6 millions de voitures (2 600 000 voitures).
● Combien de voitures environ ont construit :
– Peugeot ?
– Toyota ?
– Ford ?
– Volkswagen ?

● Peugeot et Renault ont-ils produit ensemble plus ou moins de voitures que Volkswagen ?

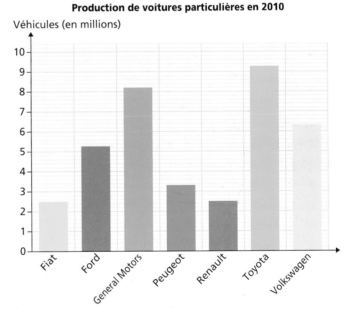

Production de voitures particulières en 2010

3 Ce graphique représente la répartition des élèves d'une classe de CM2 en fonction du sport qu'ils pratiquent.

● Quel est le sport le plus pratiqué ?
● Quel est le sport le moins pratiqué ?
● Quel sport est pratiqué par la moitié des élèves de cette classe ?
● Quel sport est pratiqué par le quart des élèves ?

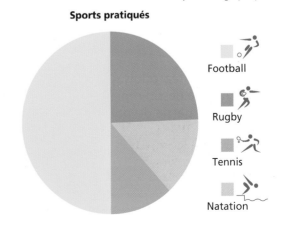

Sports pratiqués

Football

Rugby

Tennis

Natation

54 Mobilise tes connaissances ! (3)

COMPÉTENCES :
Rechercher et organis
des données d'un problèm
en vue de sa résolution.
Résoudre des problèm
de plus en plus complexe

Le pont du Gard
et l'aqueduc romain de Nîmes

Le pont du Gard

Le pont du Gard est un pont-aqueduc, construit par les Romains au Iᵉʳ siècle de notre ère, pour transporter l'eau vers la ville de Nîmes.

Le pont du Gard est le **pont-aqueduc romain le plus haut du monde**. Il est construit sur trois étages.

Étage	Nombre actuel d'arches	Longueur actuelle	Largeur actuelle	Hauteur actuelle
supérieur	35	275 m	3,06 m	7,40 m
moyen	11	242 m	4,56 m	19,50 m
inférieur	6	142,35 m	6,36 m	21,87 m

L'**étage supérieur** avait, initialement, 12 arches de plus.

1. Quelle est la hauteur totale du pont ?

2. Exprime en cm, la longueur actuelle de l'étage supérieur, puis calcule, au cm près, la longueur moyenne d'une arche de cet étage.

3. Quelle était la longueur de l'étage supérieur avant la destruction des 12 arches ?

La construction de ce pont a duré 5 ans environ. Mille ouvriers ont travaillé sur le chantier. Les pierres étaient extraites d'une carrière située à 700 m environ du pont.

On évalue le nombre de blocs de pierre utilisés à 11 millions et le poids de l'ensemble à 50 500 tonnes. Certains blocs pèsent jusqu'à 6 tonnes.

4. Exprime, en km, la distance entre la carrière de pierre et le pont du Gard.

5. Exprime, en kg, la masse des plus gros blocs de pierre.

6. Reproduis sur ton cahier, ce dessin représentant une partie du pont du Gard.

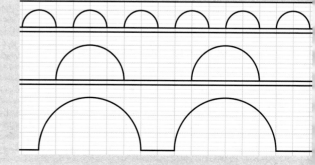

http://www.pontdugard.fr/fr

http://fr.wikipedia.org/wiki/Pont_du_Gard

L'aqueduc romain de Nîmes

Le pont du Gard était un élément de l'aqueduc qui conduisait l'eau de la fontaine d'Eure, située près d'Uzès, à la ville de Nîmes.

L'aqueduc a été construit entre les années 50 et 60 de notre ère et a été utilisé durant 500 ans environ. Pour maintenir une pente régulière, il chemine entre les collines et les vallées. Il est parfois souterrain.

À Nîmes, l'eau aboutissait dans un réservoir de répartition : le *Castellum divisorium*. Ce bassin circulaire a un diamètre de 5,50 m et une profondeur de 140 cm. L'eau de l'aqueduc se déversait dans ce bassin par une bouche presque carrée d'environ 120 cm de côté. De ce bassin partaient 10 canalisations en plomb, de 40 cm de diamètre, qui alimentaient les fontaines et les thermes de la ville.

7. Exprime, en m, le rayon et la profondeur du réservoir de répartition.

8. Exprime, en m, le rayon des conduites en plomb.

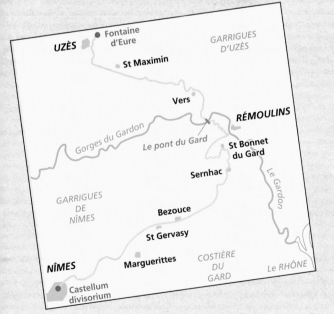

Alors qu'à vol d'oiseau, la distance entre les villes d'Uzès et de Nîmes est de 20 km, l'aqueduc mesure 52 500 m de long. L'eau mettait 24 heures pour parcourir cette distance. On estime que le débit d'eau était de 1 500 000 litres par heure.

Chaque litre d'eau de la fontaine d'Eure contient 0,315 g de calcaire. Ce sont donc plusieurs tonnes de calcaire qui passaient chaque jour dans l'aqueduc. Au fil des années, les dépôts de calcaire ont rendu le conduit plus étroit.

9. Quelle distance, en km, parcourait l'eau en une heure ?

10. Quel était le débit de l'aqueduc en une minute ?

11. Quelle masse de calcaire, exprimée en kg, passait dans l'aqueduc chaque heure ? Chaque jour ?

Pour chaque exercice, rec[...]
la bonne réponse **A**, **B** ou[...]

■ Nombres

		A	B	C	Aide
1	Décompose 6,57.	6 unités 5 dixièmes 7 millièmes	6 unités 5 dixièmes 7 centièmes	6 centaines 5 dizaines 7 unités	Leçon 3: L'essenti[...] Exercice 4 et 5
2	Indique la valeur du chiffre 4 dans 35,648 :	chiffre des dizaines	chiffre des dixièmes	chiffre des centièmes	
3	Range par ordre croissant : 5,5 5 5,05 0,55	5 5,5 0,55 5,05	5,5 5,05 5 0,55	0,55 5 5,05 5,5	Leçon 3[...] L'essenti[...] Exercice 2, 4 et 5
4	Quel nombre est compris entre 1,36 et 1,37 ?	1,367	1,38	1,350	
5	La valeur la plus proche de 12,98 est :	12	1 298	13	

■ Calcul

			A	B	C	Aide
6	Sans poser l'opération, calcule :	0,8 + 1,3	2,1	21	9,3	Leçon 38 L'essenti[...] Exercices 1 et 2
7		1,5 – 0,8	2,3	1,3	0,7	
8	Pose et effectue :	17,2 + 48 + 10,56	127,6	7 576	75,76	Leçon 39 Activités de recherc[...]
9		614 – 432,46	181,54	182,46	182,54	
10	Quel est le résultat de 98,2 × 100 ?		982	9 820	98 200	Leçon 42 L'essenti[...]
11	Quel est le résultat de 18,2 ÷ 10 ?		182	18,2	1,82	Leçon 43 L'essenti[...]
12	Calcule sans poser l'opération : 2,5 × 3		2,15	7,5	6,15	Leçon 47 L'essenti[...]
13	Pose et effectue :	93,54 × 27	252 558	2 525,58	2 728,58	Leçons 48 et 50 L'essenti[...]
14		9,05 × 3,8	34,39	34 390	343,9	

■ Grandeurs et mesure

		A	B	C	Aide
15	75 m est égal à...	0,075 km	0,75 km	7 500 km	Leçon 46 L'essentie[...] Exercices 1 et 3
16	3,4 cm est égal à...	340 mm	3,4 mm	34 mm	
17	Calcule en mètres : 586 cm + 91 dm + 930 mm	1 607 m	15,89 m	16,07 m	

Grandeurs et mesure (suite)

		A	B	C	Aide
8	5,6 kg est égal à…	56 g	560 g	5 600 g	**Leçon 51** L'essentiel Exercices 1 et 7
9	Dans un cartable vide de 1,5 kg, un élève a rangé une trousse de 160 g, un cahier de 210 g, trois livres pesant 690 g chacun et un classeur de 1 kg et 50 g. Quelle est la masse du cartable plein ?	5,440 kg	4,990 kg	3,610 kg	
10	85 cL est égal à…	8,5 L	850 L	0,85 L	**Leçon 52** L'essentiel Exercices 1 et 2
11	Range dans l'ordre décroissant : 0,23 hL ; 2,5 daL ; 20,4 L	2,5 daL 20,4 L 0,23 hL	2,5 daL 0,23 hL 20,4 L	20,4 L 2,5 daL 0,23 hL	

Géométrie

		A	B	C	Aide
2	Trouve la couleur du triangle rectangle.	Vert	Violet	Orange	**Leçon 40** L'essentiel Exercice 1
3	Trouve la couleur du triangle isocèle.	Rouge	Orange	Bleu	
4	Trouve la couleur du triangle équilatéral.	Vert	Bleu	Orange	
5	Dans quel triangle, une hauteur est-elle correctement tracée en pointillés ?				**Leçon 41** L'essentiel Exercice 2

Organisation et gestion des données

		A	B	C	Aide
6	Quelle est, en mL, la quantité d'eau dans l'éprouvette ?	175 mL	130 mL	160 mL	**Leçon 49** Activités de recherche Exercice 1
7	En 1850, la France comptait…	42 millions d'habitants	32 millions d'habitants	35 millions d'habitants	**Leçon 53** L'essentiel Exercice 1

LEÇON 35

1 **Recopie** ces nombres décimaux et **barre** les zéros qui ne modifient pas la valeur du nombre.

5,910 ; 8,500 ; 702,40 ; 650,1 ; 280,20

2 **Décompose** les parties décimales des nombres décimaux suivant l'exemple :

6,729 = 6 unités et 729 millièmes = 6 unités, 7 dixièmes, 2 centièmes et 9 millièmes.

0,92 ; 1,017 ; 26,01 ; 42,105 ; 9,009.

3 Que représente le chiffre 7 dans les nombres décimaux suivants ?

0,17 ; 0,017 ; 1,7 ; 7,185

4 *Comme le problème guidé*

Je suis un nombre décimal. Ma partie entière est un multiple de 8 compris entre 30 et 35. Ma partie décimale est le millième de ma partie entière. Qui suis-je ?

LEÇON 36

5 **Écris** un nombre décimal dans chaque intervalle.

3 < … < 4 ; 8,1 < … < 8,2 ;
5,51 < … < 5,52

6 **Encadre** chaque décimal entre deux nombres entiers qui se suivent.

… < 22,08 < … ; … < 95,895 < … ;
… < 9,99 < … ; … < 72,01 < … ;
… < 0,07 < …

7 *Comme le problème guidé*

Le tableau ci-dessous indique, en m², la superficie d'espaces verts par habitant pour quelques villes de France.

Villes	Espaces verts par habitant	Villes	Espaces verts par habitant
Aix-en-Provence	3,4 m²	Metz	18,5 m²
Besançon	55,4 m²	Orléans	20,6 m²
Brest	0,9 m²	Perpignan	5,6 m²
Limoges	19 m²	Le Havre	23,8 m²

Indique les villes dans lesquelles la superficie d'espaces verts par habitant est comprise entre 15 m² et 30 m².

LEÇON 37

8 **Reproduis** cette figure.
Le carré bleu a 8 cm de côté.

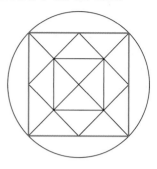

LEÇON 38

9 Après avoir trouvé l'opération qui perm de passer d'un nombre au suivant, éc trois nombres supplémentaires dans chaq suite de nombres.

a. 0,5 ; 1 ; 1,5 ; 2 ; 2,5 ;
b. 1,4 ; 1,6 ; 1,8 ; 2 ; 2,2 ;
c. 3,25 ; 3,3 ; 3,35 ; 3,4 ; 3,45 ;
d. 3,4 ; 3,1 ; 2,8 ; 2,5 ; 2,2 ;

10 **Calcule** sans poser les opérations.

a. 0,8 + 0,9 ; 1,5 + 2 ; 1,4 + 0,2 ;
1,9 + 0,1 ; 1,1 + 1,2
b. 0,9 − 0,5 ; 1 − 0,6 ; 1,7 − 0,2

LEÇON 39

11 **Pose et effectue**.

a. 5,48 + 38 ; 18 + 3,7 + 1,78 ;
1,5 + 2,73 + 6,102
b. 3,6 − 2,75 ; 24 − 9,56 ; 108 − 24,9

12 *Comme le problème guidé*

Lucas achète un cerf-volant à 19,50 € et u casquette à 7,70 €.
Il paie avec un billet de 50 €.
Combien lui rend le marchand ?

LEÇON 40

13 **Observe** la figure ci-dessous.
Quel triangle est : isocèle, équilatér. rectangle ? Comment le vérifies-tu ?

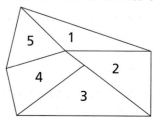

Comme le problème guidé

A, B, C et D sont les sommets d'un carré. Le point O est le point d'intersection des diagonales.

Dans cette figure, **identifie** 8 triangles rectangles isocèles.

Nomme chacun de ces triangles par les 3 lettres qui correspondent à ses sommets.

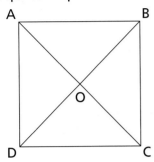

LEÇON 41

Dessine un triangle rectangle ABC, l'angle droit est en A.

Partage-le en deux triangles rectangles.

Comme le problème guidé

Trace un triangle rectangle.
Les côtés de l'angle droit mesurent 5 cm et 7 cm.

Trace la hauteur qui manque.

LEÇON 42

Calcule sans poser les opérations.
$6,3 \times 10$; $1,54 \times 1\,000$; $7,14 \times 100$; $0,75 \times 100$

Calcule sans poser les opérations.
$1,5 \times \ldots = 150$; $54,8 \times \ldots = 548$;
$0,1 \times \ldots = 10$; $0,05 \times \ldots = 50$

Une jardinerie achète 100 petits cyprès en pot au prix de 7,45 € le pot.
Quel est le montant de la facture ?
Elle revend ces 100 cyprès au prix de 15,90 € le pot.
Quel est le montant de la vente ?
Combien a-t-elle gagné ?

LEÇON 43

Calcule sans poser les opérations.
$97,5 \div 10$; $925,9 \div 100$; $75,1 \div 100$; $702 \div 10$

---

21 **Complète** les opérations.
$94,5 \div \ldots = 9,45$; $105,8 \div \ldots = 1,058$;
$1,7 \div \ldots = 0,017$; $0,4 \div \ldots = 0,0004$

22 Sans poser les opérations, **trouve** le prix du kilogramme de chaque fruit.

LEÇON 46

23 **Convertis.**
$3,425$ km $= \ldots$ m   ; $2\,860$ mm $= \ldots$ cm   ;
$0,7$ km $= \ldots$ m   ; 960 m $= \ldots$ km

24 **Complète** les égalités.
$\dfrac{1}{2}$ m $= \ldots$ cm   ; $\dfrac{1}{4}$ m $= \ldots$ cm   ;
1 m $\dfrac{1}{4} = \ldots$ cm   ; $\dfrac{3}{4}$ m $= \ldots$ cm

25 ## Comme le problème guidé

Le géant Pouchtapoliof fait un pas de 1 hm, deux pas de 2 dam puis trois pas de 15 m.
Quelle distance, en mètres, a-t-il parcourue ?

LEÇON 47

26 **Utilise** les produits déjà effectués pour trouver le résultat de ces opérations.
a. $17 \times 8 = 136$
$1,7 \times 8$ $0,17 \times 8$ $0,017 \times 8$
b. $94 \times 19 = 1\,786$
$9,4 \times 19$ $94 \times 0,19$ $0,94 \times 19$

27 **Effectue** sans poser les opérations.
$8,4 \times 5$; $7,04 \times 3$; $0,82 \times 5$; $0,02 \times 6$

LEÇON 48

28 **Pose** et **effectue**.
$1,28 \times 32$; $36,4 \times 35$; $2,09 \times 24$;
$145 \times 0,26$

29 **Place** la virgule des nombres écrits en **bleu** pour que chaque calcul soit exact.
$84 \times \mathbf{756} = 635,04$; $72 \times \mathbf{552} = 3\,974,4$;
$\mathbf{132} \times 41 = 54,12$

30 ## Problème guidé

Le Danemark a 67,7 km de frontière terrestre. La France en possède 44 fois plus.
Quelle est la longueur des frontières terrestres de la France ?

Banque d'Exercices et de Problèmes (3)

LEÇON 49

31 Voici la jauge d'une citerne d'eau.
• **Indique** la quantité d'eau dans la citerne lundi, mardi et mercredi.
• **Évalue** la quantité d'eau dans la citerne jeudi.

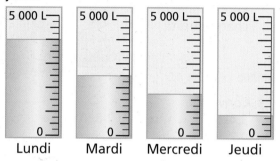

Lundi   Mardi   Mercredi   Jeudi

LEÇON 50

32 **Pose** et **effectue**.
512,5 × 2,6   ;   0,984 × 7,1 ;
0,095 × 5,6   ;   0,207 × 8,04

33 *Comme le problème guidé*
Lucie fait ses courses. Elle achète 0,250 kg de jambon cuit à 15,5 € le kg et 0,2 kg de fromage à 11,25 € le kg.
Quel est le montant de ses dépenses ?

LEÇON 51

34 **Convertis.**
14 g = ... dg   ;   50 dg = ... mg   ;
2 000 mg = ... g   ;   3,05 kg = ... g   ;
300 g = ... hg

35 **Complète** les égalités.
200 mg + 75 dg + 1 g = ... g ;
5,150 kg + 9,05 hg + 948 g = ... g

36 *Comme le problème guidé*
Quelle est, en kilogramme, la masse du chou ?

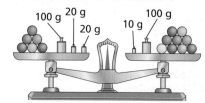

1 kg $\frac{1}{2}$ hg   1 dag   1 dag

LEÇON 52

37 **Convertis.**
1,5 L = ... cL   ;   650 mL = ... L   ;
4 hL = ... L   ;   5 L 8 cL = ... dL

38 *Comme le problème guidé*
Une fourgonnette de ramassage de lait a clecté 3 bidons de 2 daL et 2 bidons de 1 h▮
Quelle est, en litres, la quantité de ▮ collectée ?

LEÇON 53

39 En t'aidant du tableau, **associe**, à chac lettre du graphique en bâtons, le contin qui lui correspond.

Continents	Population
Asie	4 030 000 00▮
Afrique	965 000 00▮
Europe	731 000 00▮
Amérique du Nord	339 000 00▮
Amérique du Sud	572 000 00▮
Océanie	34 000 00▮

Population des cinq continents
(en millions d'habitants)

4 000
3 000
2 000
1 000
0   A   B   C   D   E   F

■ **Problèmes de recherche** ---

40 Quelle est la masse d'une banane ?
D'un ananas ?

1 kg   1 kg

41 Quelle est la masse d'une bille ?

100 g   20 g   20 g   10 g   100 g

Période 4

SÉANCES
10H15 / 14H00 / 17H00 / 20H30
début du film : 15 min après

CINEMA

MUSÉE ★

EXPO
SITION
DE
TABLEAU

ATELIER SCOLAIRE:
RÉALISER DES ŒUVRES
À LA MANIÈRE DE L'ARTIS...

LOCATION DE VÉLOS

TARIFS :
...lte   9€
...ant   5,50€
...upe 8 pers.
   58,50€

OFFRE
SPÉCIALE
3 places
achetées
=1 gratuite
6 places
achetées
= 2 gratuites

2€
les 100g
5€
les 250g

AFFICHES
À VENDRE
L=3,75m/ℓ=145cm
   = 8€
L=2,85cm/ℓ=196cm
   = 4€

5€
L'HEURE

FREQUENTATION
CINEMA
500
400
300
200
100
0
L M M J V S D

ROUES
DiAMÈTRE:
559 mm
584 mm
et 622 mm
CHOISISSEZ
VOTRE TAILLE !

herche dans le dessin des détails illustrant les notions étudiées dans la période.
...etrouve Mathéo la mascotte.

	Leçons		Leçons
Diviser un nombre décimal par un nombre entier.	69	• Calculer la longueur d'un cercle.	55
		• Calculer des durées.	59
Trouver le quotient décimal d'une division.	56	• Calculer l'aire d'un carré, d'un rectangle.	64
Utiliser la calculatrice.	63	• Connaître et utiliser les unités d'aires usuelles.	67
Résoudre un problème.	61	• Identifier et tracer des quadrilatères.	57, 58
Tracer un graphique.	60	• Reconnaître ou compléter un patron de solide droit.	66
Résoudre une situation de proportionnalité.	65, 68		

55 Grandeurs
Longueur du cercle

COMPÉTENCE : Calculer la longueur d'un cercle connaissant son diamètre ou son rayon.

Activités de recherche

J'ai mesuré le tour de cette table ronde. Il est égal à 314 cm. Son diamètre est égal à 100 cm.

J'ai mesuré la longueur et le diamètre d'un cerceau de gymnastique et d'une pièce de 2 euros. J'ai noté les mesures dans le tableau ci-dessous.

La longueur du cercle est la longueur de la ligne rouge. C'est aussi le périmètre du disque.

	Table ronde	Cerceau de gym	Pièce de 2 €	Boîte de conserve	...
Longueur du cercle en mm	3 140	2 576	78	...	...
Diamètre en mm	1 000	820	25	...	...

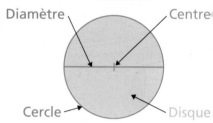

Diamètre — Centre — Cercle — Disque

① Comme Mélissa, **mesure** en millimètres la longueur du cercle et du diamètre de différents objets ronds (boîte de conserve, pot à crayons...) et **complète** le tableau.

② Avec ta calculatrice, pour chaque objet du tableau, **divise** la longueur du cercle par son diamètre. Que constates-tu ?

Dès l'Antiquité, Archimède a montré que la longueur du cercle divisé par son diamètre est un nombre proche de 3,14.

③ Tu es maintenant capable de calculer la longueur d'un cercle sans la mesurer si tu connais son diamètre. **Utilise** la formule de L'essentiel pour calculer la longueur d'un cercle :
– de 50 cm de diamètre ;
– de 100 cm de diamètre ;
– de 1 m de rayon.

L'essentiel

Pour trouver la longueur d'un cercle, on multiplie son diamètre par le nombre Pi (noté π). Le nombre 3,14 est une valeur approchée du nombre π au centième près.

Longueur du cercle = Diamètre × 3,14

Si tu connais le rayon du cercle, pense à le multiplier par 2 pour obtenir le diamètre.

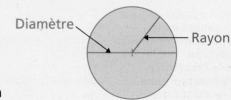

Diamètre — Rayon

Diamètre = 2 × Rayon

Banque d'**Exercices** et de
Problèmes nᵒˢ 1 à 3 p. 148.

■ S'exercer

Calculer la longueur d'un cercle connaissant son diamètre ou son rayon

1 **Calcule** la longueur de chaque cercle.

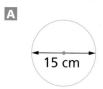 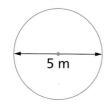

15 cm   5 m

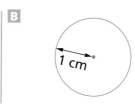 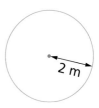

1 cm   2 m

---

2 **Reproduis** et **complète** le tableau suivant.

A

Objet rond	Assiette	Jeton	Roue
Diamètre	26 cm	4 cm	40 cm
Longueur du cercle	...	...	...

B

Objet rond	DVD	Couvercle	Plateau
Rayon	60 mm	110 mm	250 mm
Diamètre	...	...	...
Longueur du cercle	...	...	...

---

3 **Mesure** le diamètre ou le rayon de chaque cercle puis **calcule** la longueur du cercle.

A 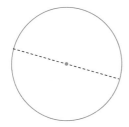   **B**

■ Résoudre

4 Problème guidé

Quelle est la longueur de cette piste d'athlétisme ?

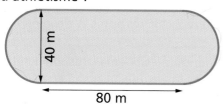

40 m

80 m

Décompose la longueur de la piste en quatre parties : les deux lignes droites rouges et les deux demi-cercles bleus.

Rassemble mentalement les deux demi-cercles pour obtenir un cercle complet de 40 m de diamètre.

Additionne la longueur du cercle avec celle des deux lignes droites.

---

5 Le contour de la figure bleue est formé de trois demi-cercles.
Calcule sa longueur.

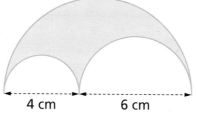

4 cm   6 cm

Le coin du cherch**eur**

Hugo vient d'avoir 8 ans et on ne lui a fêté que deux fois son anniversaire ! Pourquoi ?

6 La roue arrière du vélo de Dylan a un diamètre de 70 cm.
À chaque tour de pédale cette roue fait 4 tours.
Calcule la distance que Dylan parcourt à chaque tour de pédale.

COMPÉTENCE : Maîtriser l'algorithme de la division d'un nombre entier par un nombre entier.

▰▰▰ Activités de recherche ╌╌╌╌╌╌╌╌╌╌

1 **Observe** et **réponds** à la question.

> Si 4 BD coûtent 39 €, alors une BD coûte entre 9 et 10 €. Comment connaître le prix exact d'une BD au centime près ?

> Voilà comment je procède !

Je calcule la partie entière du quotient.	Je place la virgule après 9. Je transforme les 3 unités qui restent en 30 dixièmes. Je divise 30 dixièmes par 4.	Je transforme 2 dixièmes en 20 centièmes. Je divise 20 centièmes par 4.

Colonne 1 :
39 = (4 × **9**) + 3
Il reste 3 unités.

```
  3 9 | 4
- 3 6 | 9
  ───
    3
```

Colonne 2 :
30 = (4 × **7**) + 2
Il reste 2 dixièmes.

```
  3 9, 0 | 4
- 3 6  ↓ | 9, 7
  ─────
    3 0
  - 2 8
    ───
      2
```

Colonne 3 :
20 = 4 × **5**
Le reste est nul, la division est terminée.

```
  3 9, 0 0 | 4
- 3 6      | 9, 75
  ─────
    3 0
  - 2 8
    ─────
      2 0
    - 2 0
      ───
        0
```

> N'ou
> pas
> virg

2 **Calcule**, au centime près, le prix d'un tome.

> Toutes les divisions ne tombent pas juste, on peut s'arrêter à un, deux ou trois chiffres après la virgule en fonction de ce que l'on cherche. Par exemple, pour la monnaie, on s'arrête au centième d'euro (le centime), c'est à dire 2 chiffres après la virgule.

L'essentiel

```
        dixièmes
          centièmes
            millièmes
  1 7, 0 0 0 | 8
- 1 6 ↓      | 2, 1 2 5
  ───
    1 0
  -  8 ↓
  ─────
      2 0
    - 1 6 ↓
    ─────
        4 0
      - 4 0
      ───
          0
```

– Si le quotient est demandé au **dixième** près, on arrête la division **un chiffre** après la virgule.
Au **dixième** près, le quotient de 17 par 8 est 2,**1**.

– Si le quotient est demandé au **centième** près, on arrête la division **deux chiffres** après la virgule.
Au **centième** près, le quotient de 17 par 8 est 2,1**2**.

– Si le quotient est demandé au **millième** près, on arrête la division **trois chiffres** après la virgule.
Au **millième** près, le quotient de 17 par 8 est 2,12**5**.

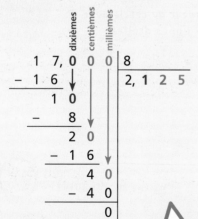

> *N'oublie pas de laisser assez de place entre le dividende et le trait de la potence pour abaisser les zéros.*

▬ S'exercer ┈┈┈┈┈┈┈┈┈┈┈┈┈┈┈┈┈┈┈┈┈┈┈┈

Calculer le quotient décimal de deux nombres entiers

❶ Pose la division et **trouve** le quotient au dixième près (un chiffre après la virgule).

A 8 divisé par 5   27 divisé par 6 | **B** 945 divisé par 6   400 divisé par 7
    8 divisé par 3   10 divisé par 4 | 100 divisé par 8   510 divisé par 4

> Pense à placer la virgule au quotient quand tu abaisses le chiffre des dixièmes.

❷ Pose la division et **trouve** le quotient au centième près.

A 312 divisé par 9   127 divisé par 4 | **B** 689 divisé par 9   1 000 divisé par 6
    150 divisé par 8   200 divisé par 6 | 1 013 divisé par 4   503 divisé par 7

❸ Pose la division et **trouve** le quotient au millième près.

A 415 divisé par 19 | **B** 1 690 divisé par 24
    270 divisé par 14 | 10 000 divisé par 97

▬ Résoudre ┈┈┈┈┈┈┈┈┈┈┈┈┈┈┈┈┈┈┈

> a. La masse d'une boîte s'exprime en grammes. Le gramme est le millième du kg.
> b. Le prix est donné au centime près. Un centime est le centième d'un euro.
> c. Le nombre de tables est un nombre entier !

❹ Problème guidé

Pour chaque problème, choisis de calculer le quotient à l'unité près, au centième près ou au millième près.

a. 8 boîtes de confiture pèsent 15 kg.
Quelle est la masse d'une boîte ?
b. 4 personnes mangent au restaurant, les 4 repas reviennent à 87 €.
Combien chacun doit-il payer ?
c. 60 enfants mangent au restaurant scolaire. On place 8 enfants par table.
Combien de tables seront complètes ?

❺ J'ai payé 13 € un sac de 5 kg de pommes.
Quel est le prix d'un kilogramme de pommes ?

❻ Les 8 dictionnaires que nous avons reçus pèsent 13 kg.
Quelle est la masse d'un dictionnaire ?

❼ Laurie prépare des pizzas. Elle partage 1 kg de pâte en 6 boules de même masse.
Combien pèsera chaque boule au gramme près ?

❽ Une tonne de pommes de terre est répartie dans des sacs de 30 kg.
Combien de sacs peut-on remplir ?

socle 2
commun

❾ Five DVD cost 96 €.
How much for one DVD?

Le coin du cherch(eur)

Deux pères et deux fils ont trois œufs.
Chacun peut manger un œuf.
Comment l'expliques-tu ?

Identifier des quadrilatères

COMPÉTENCE : Vérifier la nature d'une figure en ayant recours aux instruments.

Activités de recherche ─────────────

1 Voici un tableau de Vasarely.

Nomme les figures géométriques qui composent ce tableau.

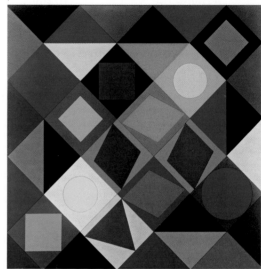

Victor Vasarely, *Sikra*, 1964-66.

2 **Utilise** **L'essentiel** pour identifier un carré, un rectangle, un losange et un parallélogramme dans la figure ci-dessous.
Nomme-les en utilisant les lettres qui désignent leurs quatre sommets.

Utilise les instruments de géométrie pour vérifier les propriétés d'une figure avant de la nommer.

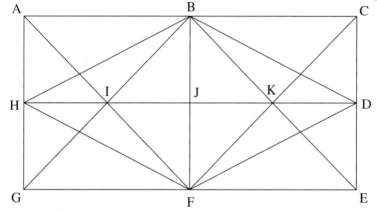

L'essentiel

Définir. Les quadrilatères sont des figures géométriques qui possèdent 4 côtés et 4 sommets.

Nommer. Les carrés, les rectangles, les losanges ainsi que les parallélogrammes sont des quadrilatères particuliers.

Carré   Rectangle   Losange   Parallélogramme

	Carré	Rectangle	Losange	Parallélogramme
Nombre d'angles droits	4	4	0	0
Nombre de côtés de même longueur	4	2 paires	4	2 paires
Côtés opposés parallèles	oui	oui	oui	oui
Nombre d'axes de symétrie	4	2	2	0

Tu dois être capable de reconnaître une figure quelle que soit sa position. Ces deux figures sont des carrés.

Banque d'**Exercices** et de
Problèmes nᵒˢ **7** et **8** p. 148.

S'exercer

1 **Nomme** les figures qui sont des carrés.

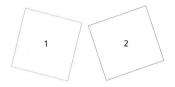

A   1   2   **B**   3   4

---

2 **Qui suis-je ?**

A Je suis un quadrilatère. Mes côtés opposés sont parallèles et je n'ai pas d'axe de symétrie.

B Je suis un quadrilatère. J'ai deux axes de symétrie et aucun angle droit.

---

3 **Trouve** le rectangle, le losange et le parallèlogramme.

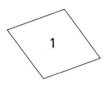  

1   2   3   4   5

Résoudre

4 *Problème guidé*

Trouve le carré et le losange.

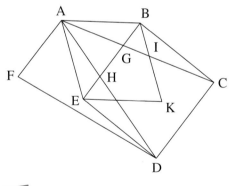

— Souviens-toi des propriétés du carré puis utilise tes instruments pour trouver la figure qui possède ces propriétés.
— Fais de même pour le losange.

Socle 2 commun

5 **Find** a rectangle and a parallelogram.

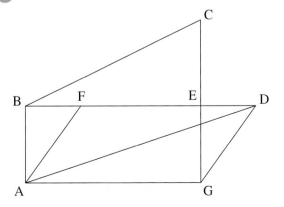

Le coin du chercheur

Trace cette figure sans lever le crayon et sans repasser deux fois sur le même trait.

58 Tracer des quadrilatères

Géométrie

COMPÉTENCE : Utiliser la règle, l'équerre et le compas pour construire avec soin et précision des quadrilatères particuliers.

Calcul mental

Quotient entier de :
30 par 7 ; 47 par 6...

Activités de recherche

Observe comment je procède pour tracer avec l'équerre et la règle un rectangle dont les côtés ont pour longueur 5 cm et 7 cm.

1 Sur ton cahier, **trace** un rectangle de 5 cm et 7 cm de côtés en suivant la méthode de Boris. **Trace** ensuite un carré de 5 cm de côté.

2

Observe comment, à l'aide du compas, je trace un losange à partir de 2 segments de même longueur qui ont une extrémité commune.

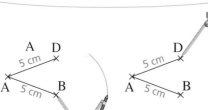 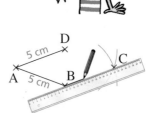

Place un point A sur ton cahier. À partir de ce point, **trace** deux segments AB et AD de 5 cm, puis **trace** le losange ABCD comme Léa.

3 **Reproduis** les droites rouges et le point A ci-contre.
Trace le rectangle ABCD.
Les droites rouges sont ses axes de symétrie.

A ×

L'essentiel

Tracer : Pour tracer un rectangle, un carré, un losange, un parallélogramme, on utilise :
– les instruments de géométrie (règle, équerre, compas) ;
– les propriétés de ces quadrilatères particuliers (côtés perpendiculaires, côtés parallèles, côtés de même longueur, axes de symétrie).

N'oublie pas que pour tracer une parallèle sur papier uni, tu dois commencer par tracer une perpendiculaire.

La droite rouge est parallèle à la droite bleue.

122

▪ S'exercer

1 **Trace** sur papier uni :

A un carré de 4 cm de côté.

B un carré de 4,5 cm de côté.

4,5 cm

2 **Reproduis** la figure et **complète-la** pour tracer un losange.
Un côté est déjà tracé.

A

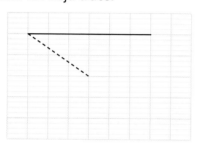

B

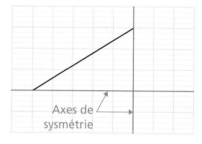

Axes de sysmétrie

3 Sur du papier uni, **trace** un rectangle de côtés 5 cm et 8 cm.

▪ Résoudre

4 *Problème guidé*

Trace un segment DC et un point A comme ci-dessous.
Trace le parallélogramme ABCD.

A
×

D
C

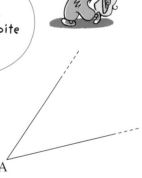

— Trace d'abord une droite parallèle à DC passant par A.
— Trace ensuite une droite parallèle à AD en passant par C.

5 **Trace** un angle aigu de sommet A.
Place à 6 cm du point A deux points B et D sur les côtés de cet angle.
Trace le point C pour que le quadrilatère ABCD soit un losange.

A

6 **Observe** ce dessin réalisé à main levée, puis **trace** avec précision :
– le rectangle vert ;
– le losange bleu formé de deux triangles équilatéraux ;
– le carré jaune.

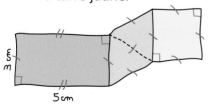

5 cm

Si tu ne sais plus comment tracer un triangle équilatéral, reporte-toi à la leçon 41.

Le coin du cherch(eur

Trace 5 points de façon que 3 points ne soient pas alignés.

Combien peux-tu tracer de droites passant par deux de ces points ?

123

Calculer des durées

Calcul mental
**Donner l'écriture
à virgule de :**
14 centièmes ;
25 millièmes...

COMPÉTENCES : Connaître et utiliser les unités de mesure des durées.
Calculer une durée quand on connaît l'instant initial et l'instant final.

Activités de recherche

Durée du trajet Paris – Toulouse de 1650 à nos jours

1650	1800	1862	2012
			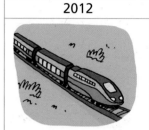
Départ : 15 avril matin Arrivée : 15 mai soir	Départ : 15 avril matin Arrivée : 29 avril soir	Départ : 15 avril 6 h Arrivée : 16 avril 12 h	Départ : 6 h 30 Arrivée : 12 h 10

1 **Calcule**, en journées de voyage, la durée du trajet
pour aller de Paris à Toulouse :
a. En 1650   **b.** En 1800

> On connaît la date de départ et
> la date d'arrivée. Il faut connaître le nombre
> de jours de chaque mois.

avril   mai
`14|15|16|17|18|19|20|21|22|23|24|25|26|27|28|29|30|1|2|3|4|5|6|7|8|9|10|11|12|13|14|15|16`

16 jours   … jours

…...........

2 **Calcule** la durée du trajet en heures pour aller de Paris à Toulouse en 1862.

15 avril   16 avril
6 h   0 h   6 h   12 h

…   …
départ   … heures   arrivée

> Il faut connaître
> le nombre d'heures
> dans une journée.

3 **Calcule**, en heures et minutes, la durée du trajet pour aller de Paris à Toulouse en 2012.

L'essentiel

Convertir
1 jour = 24 h   1 heure = 60 min   1 min = 60 s
90 min = **60 min** + 30 min = **1 h** 30 min   125 s = **60 s** + **60 s** + **5 s** = **2 min 5 s**

Calculer une durée
La durée entre 7 h 40 et 11 h 30 est de : 20 min + 3 h + 30 min = 3 h 50 min

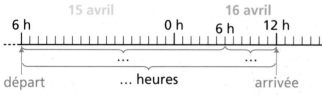

7 h   7 h 40 8 h   9 h   10 h   11 h 11 h 30 12 h

20 min   3 h   30 min

3 h 50 min

> Pour calculer une durée, il vaut
> mieux utiliser une droite graduée que poser
> une soustraction.

■ S'exercer --

1 **Convertis.**

A 4 h = ... min   6 h = ... min
5 min = ... s   30 min = ... s
300 min = ... h   180 s = ... min

B 1 h 20 min = ... min   3 h 25 min = ... min
1 min 40 s = ... s   3 min 25 s = ... s
100 min = ... h ... min   100 s = ... min ... s

2 **Calcule** puis **convertis.**

A 30 s + 30 s ; 30 min + 30 min
1 min 20 s + 40 s ; 1 h 30 min + 1 h 30 min
1 min 40 s – 30 s ; 2 h 15 min – 10 min

B 45 s + 60 s ; 35 min + 45 min
1 h 50 min + 15 min ; 2 h 50 min + 30 min
1 min – 40 s ; 2 h – 30 min

3 **Calcule** la durée :

> Utilise la droite graduée de L'essentiel.

A d'une émission de télévision
qui commence à 7 h et qui se termine
à 8 h 25 ?

B du trajet d'un bus qui part
à 9 h 40 et qui arrive à
11 h 15 min ?

■ Résoudre --

4 **Problème guidé**

Maeva prend le train de nuit. Elle part de Nice à 20 h 10
et arrive à Bordeaux le lendemain matin à 7 h 15.
Quelle est la durée de ce voyage ?

> — Calcule d'abord la durée du voyage jusqu'à minuit.
> — Ajoute ensuite la durée du voyage après minuit.

5 Lors du Trophée Jules-Verne (tour du monde en voilier et sans escale), l'équipage
de Loïck Peyron est parti de Bretagne le 22 novembre 2011 au matin. Il est revenu
en Bretagne le soir du 6 janvier 2012.
Quelle a été la durée de ce tour du monde ?

6 Le départ du Marathon de Paris est donné à 8 h 45.
Le premier concurrent arrive à 10 h 51, et le dernier à 15 h 40.
Quelle est la durée de la course pour chacun de ces deux coureurs ?

7 Théo veut prendre le bus.
Quelle heure indique la pendule de la gare routière ?
À quelle heure partira le prochain bus ?
Combien de temps Théo doit-il attendre ?

Départ à
6 h 30
7 h 10
7 h 30

8 Aux J.O. de Londres en 2012, le britanique Alistair
Brownlee a obtenu la médaille d'or du triathlon.
Voici ses résultats :
Natation 1 500 m : 17 min 43 s
Cyclisme 40 km : 59 min 36 s
Course à pied 10 km : 29 min 07 s
Quel temps total a-t-il réalisé ?

Le coin du cherch[eur]

Un grand cube est composé de
64 petits cubes de 1 cm d'arête.

Combien mesure une arête
du grand cube ?

Tracer un graphique

Calcul mental

Intercaler un nombre décimal entre :
1,2 et 1,3 ; 3,25 et 3,26...

Activités de recherche

1 Ce tableau indique la population de la Guyane entre 1960 et 2010.

Années	1960	1970	1980	1990	2000	2010
Nombre d'habitants	35 000	45 000	70 000	115 000	160 000	220 000

À partir de ce tableau, comment tracer le graphique représentant l'évolution de la population de la Guyane ?

Reproduis les axes gradués du graphique.
Un interligne correspond à 5 000 habitants.

Trace le graphique linéaire.

D'après le graphique :
– quel était le nombre d'habitants en 1985 ?
– quelle sera la population de la Guyane en 2020 si elle suit cette progression ?

2 Ce tableau donne la population de quelques pays proches de la France.

Reproduis le graphique ci-dessous. Un interligne correspond à 2 500 000 habitants.
Le rectangle jaune correspondant à la population de l'Allemagne (81 600 000) est déjà tracé.

Complète le graphique en bâtons à l'aide des informations du tableau.

Nations	Population
Allemagne	81 600 000
Belgique	10 300 000
Espagne	46 400 000
France	65 600 000
Italie	59 900 000
Royaume-Uni	64 800 000
Suisse	7 700 000

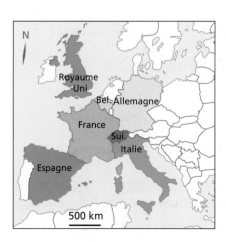

Pour construire le graphique, arrondis les populations au million le plus proche.

▮ Résoudre

1 Le débit d'une pompe à eau est de 4 000 L d'eau par heure.

Combien de litres d'eau débite-t-elle en 1 h ? En 2 h ? En 3 h ? En 4 h ?

Reproduis le graphique et **marque** les points correspondant à tes calculs.

Ces points sont-ils alignés ?
Trace la droite qui passe par ces points.

À l'aide du graphique, **indique** :
– la quantité d'eau débitée en 5 h, en 30 min, en 2 h 30 ;
– la durée nécessaire pour remplir un bassin de 24 000 litres.

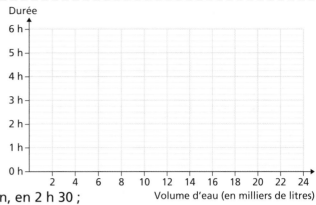

2 Ce tableau montre l'évolution de la production annuelle d'énergie hydraulique et d'énergie nucléaire en France, en TWh (un térawatt-heure est égal à 1 000 000 000 kWh).

Pour te donner une idée du TWh, c'est la consommation d'un milliard de radiateurs électriques chauffant pendant une heure.

	Énergie hydraulique	Énergie nucléaire
1960	40	0
1970	60	5
1980	70	60
1990	57	300
2000	72	390
2010	65	400

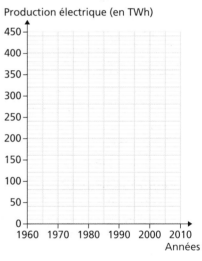

Reproduis le graphique ci-contre et **trace** :
– en **vert** la production d'origine hydraulique ;
– en **orange** la production d'origine nucléaire.
Quelle énergie a le moins progressé ? Pourquoi ?

3 Ce tableau donne les températures moyennes mensuelles de deux villes d'Amérique : l'une dans l'hémisphère Nord, New York (États-Unis), et l'autre dans l'hémisphère Sud, Buenos Aires (Argentine).

	J	F	M	A	M	J	J	A	S	O	N	D
New York	0	1	5	11	17	22	25	24	20	14	9	3
Buenos Aires	25	24	22	18	14	12	11	13	14	18	21	23

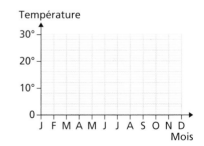

Reproduis le graphique ci-contre et **trace** :
– en **bleu** le graphique des températures de la ville de New York ;
– en **rouge** celui des températures de Buenos Aires.

Durant quel mois, fait-il :
– le plus froid à New York ? à Buenos Aires ?
– le plus chaud à New York ? à Buenos Aires ?

Pourquoi les deux courbes sont-elles si différentes ?

Le coin du cherch**eur**

Une tablette de chocolat pèse 50 g plus trois quarts de tablette.
Combien pèse cette tablette ?

61 Atelier problèmes (4)

Nombres

COMPÉTENCE : Résoudre des problèmes engageant une démarche à une ou plusieurs étapes.

Calcul mental

Soustraire deux nombres entiers.
86 – 54 ; 65 – 38...

Activités de recherche

Dans une boulangerie, Charlotte achète 1 gâteau, 4 croissants à 0,80 € l'un,
1 baguette de pain à 0,95 €.
Elle paie avec un billet de 50 €. La boulangère lui rend 27,65 €.
Quel est le prix du gâteau ?

Je ne sais pas par où commencer !

Pour trouver le prix du gâteau,
il faut calculer :
– le montant total des achats dont
on connaît le prix à l'unité ;
– la dépense totale.

Que peux-tu calculer en premier ? En deuxième ? En troisième ?
Effectue les opérations puis **rédige** les réponses.

Banque d'**Exercices** et de **Problèmes** n° 18 p. 149.

Résoudre

1 Le responsable de l'association « CINÉFIL » a reçu
ce devis pour un équipement vidéo.
Quel est le prix de la parabole ?

Articles	Prix
Téléviseur	1 320 €
Caméscope	735 €
Parabole	
Ordinateur	2 150 €
Total à payer	4 655 €

2 M. Tamalou traite son allergie au pollen en prenant chaque jour
2 comprimés le matin, 1 comprimé à midi et 1 comprimé le soir.
Son traitement dure 3 semaines.
Une boîte contient 12 comprimés.
Combien de boîtes de comprimés lui faut-il pour son traitement ?

3 Pour prendre l'avion, la valise de Marine ne doit pas dépasser 10 kg.
Elle pèse alors les affaires qu'elle désire emporter :
vêtements : 5,825 kg ; trousse de toilette : 978 g ; valise vide : 2,870 kg.
Marine souhaite aussi prendre un parapluie.
Quelle masse le parapluie ne doit-il pas dépasser ?

4 Une étape du Tour de France cycliste est longue de 194,5 km.
Un stand de ravitaillement est situé à 96 km du départ.
34,5 km après le ravitaillement, les coureurs disputent un sprint intermédiaire.
Combien de kilomètres leur reste-t-il à parcourir après ce sprint ?

5 Un groupe de touristes visite un musée.
Ce groupe est composé d'enfants, de 24 adultes et de 13 seniors.
La facture s'élève à 274,50 €.
Combien d'enfants visitent le musée ?

Tarifs du musée	
Adulte	8 €
Senior	4,50 €
Enfant	3 €

62

ATELIER INFORMATIQUE N° 4 :
Tracer des graphiques

1. a. Ouvre le logiciel OpenOffice.org Calc* :
le tableur apparaît. Recopie les informations
du tableau sur la feuille de calcul présente à l'écran.

b. Avec la souris, clic gauche maintenu,
sélectionne les données :
la partie sélectionnée se teinte en bleu.

Espérance de vie (ans)		
Années	Hommes	Femmes
1750	27	29
1800	31	35
1850	39	41
1900	45	49
1950	65	71
2000	75	83

c. Clique ensuite sur le bouton « Diagramme ».
Le graphique apparaît en fond d'écran. L'assistant de diagramme va t'aider à le configurer.

2. a. Cette première étape permet de choisir un type de diagramme :

« Colonne » est déjà sélectionné,
clique sur « Suivant ».

> On appelle ces graphiques des histogrammes.

b. À l'étape 2, vérifie que les données soient
en colonnes.
Coche « Première ligne comme étiquette »
et « Première colonne comme étiquette ».
Clique sur « Suivant ».

c. À l'étape 3, clique sur « Suivant ».
À l'étape 4, dans la case « Titre »,
écris le titre du graphique.

3. Clique sur « Terminer ».
Tu obtiens le graphique ci-dessous.

• *Que représentent les bâtons bleus ?*
Les bâtons rouges ?

---

* Cette activité est conçue à l'aide du logiciel *OpenOffice*. Elle peut être **facilement adaptée et réalisée avec tout autre tableur informatique**.

63 Nombres — Interpréter un résultat donné par une calculatrice

COMPÉTENCES : Consolider les acquis sur les nombres décimaux. Contrôler les calculs.

Activités de recherche

1 Pour l'anniversaire de Pauline, ses 6 amis ont acheté ensemble :

11,60 €
un livre

12,50 €
un DVD

10,99 €
un CD

9 €
un jeu

Combien ont-ils dépensé ?

J'ai utilisé la calculatrice et j'ai trouvé 3 518 €. J'ai dû commettre une erreur.

Estime mentalement un ordre de grandeur de la somme dépensée.
Théo a-t-il commis une erreur de calcul ?
Utilise la calculatrice et **trouve** la somme exacte.
Écris cette somme en euros et centimes.

2 À la boucherie, Léa achète 0,985 kg de viande à 18,99 € le kilogramme.
Combien va-t-elle payer ?

J'ai utilisé la calculatrice mais il y a beaucoup de chiffres après la virgule.

Estime mentalement un ordre de grandeur du prix.
Effectue le calcul avec la calculatrice.
Quel résultat affiche-t-elle ?
Écris le prix au centime près.

3 Au marché, un vendeur a préparé 12 kg de paëlla. Il la partage en 41 portions de même masse.
Quelle est la masse d'une portion au gramme près ?

Estime mentalement un ordre de grandeur de la masse d'une portion.
Effectue le calcul avec la calculatrice.
Quel résultat affiche-t-elle ?
Écris la masse d'une portion au gramme près.

L'essentiel

Estimer un ordre de grandeur du résultat donné par une calculatrice
La plupart du temps, on estime l'ordre de grandeur du résultat pour voir si l'on n'a pas commis d'erreur de frappe en tapant le calcul.

Interpréter un résultat donné par une calculatrice
Si la calculatrice affiche | 8,42857143 |

| 8 | est le résultat à l'unité près.

| 8,42 | est un résultat au centième près (avec deux chiffres après la virgule).

| 8,428 | est un résultat au millième près (avec trois chiffres après la virgule).

⚠️ Dans le résultat, le nombre de chiffres après la virgule dépend de la question posée. Par exemple, si on calcule un prix, on ne garde que deux chiffres après la virgule.

Banque d'Exercices et de Problèmes n°s 19 à 21 p. 149.

▰ S'exercer -

Utiliser une calculatrice

① **Trouve** le résultat de ces opérations à l'aide de la calculatrice.

A 1,90 + 3,678 + 3,73
13,56 + 4,789 − 2,87
3,04 × 9   ;   45,89 × 7
5,88 ÷ 4   ;   45,4 ÷ 8

B 13,005 + 14,67 + 0,095
768,004 − 100,998   ;   401,1 + 78,901 − 123,76
54,56 × 23   ;   17,84 × 15,85
57,5 ÷ 25   ;   200,76 ÷ 12

Trouver l'ordre de grandeur

② **Estime** mentalement un ordre de grandeur du résultat de chaque opération
et **trouve** le résultat faux sans utiliser la calculatrice.

A 2,32 + 60,45 + 70,50 → $\boxed{133,27}$

14,5 × 4,2 → $\boxed{102,9}$

16,25 − 9,50 → $\boxed{7,75}$

B 425,10 + 570,50 + 658,70 → $\boxed{1654,30}$

145,56 × 5,3 → $\boxed{771,468}$

3 964,75 − 357,5 → $\boxed{329,25}$

Arrondir au centième, au millième

③ **Trouve** mentalement la partie entière du quotient puis, avec l'aide
de la calculatrice, **trouve** le quotient :

A à 2 chiffres après la virgule.
43 divisé par 6   ;   79 divisé par 7
93 divisé par 9

B à 3 chiffres après la virgule.
69,5 divisé par 9   ;   82,34 divisé par 3
73,007 divisé par 6

Interpréter un résultat donné par une calculatrice

④ **Résous** le problème à l'aide de la calculatrice.

A Une pizza coûte 11 €.
On la coupe en 6 parts.
Quel est le prix d'une part
au centime près ?

B On coupe un ruban de 3 mètres
en 7 morceaux de même longueur.
Quelle est la longueur d'un morceau
au millimètre près ?

▰ Résoudre -

⑤ Problème guidé

À la station-service, la pompe affiche 58,07 €
pour 39 litres de gazole versés dans le réservoir.
Quel est le prix du litre de gazole au centime près ?

> − Divise le prix
> par la quantité.
> − Écris le résultat avec deux
> chiffres après la virgule.

⑥ Trois boules de pétanque pèsent 2,070 kg.
Quel est le poids d'une boule, au gramme près ?

⑦ Quel est le prix d'une tomme de fromage au centime près ?

⑧ Myriam découpe une bande de papier qui mesure 29,7 cm de long.
Elle plie cette bande en 8 morceaux de même longueur.
Quelle est, au millimètre près,
la longueur d'un morceau ?

> Tu peux vérifier ton calcul en
> découpant une bande sur le grand côté
> d'une feuille A4 et en la pliant en 8.

Le coin du cherch**eur**

Quel est le quart
du triple de 8 ?

Aire du carré et du rectangle

COMPÉTENCE : Calculer l'aire d'un carré, d'un rectangle en utilisant la formule appropriée.

Activités de recherche

1

L'aire du carré jaune est de un centimètre carré. On écrit : 1 cm².

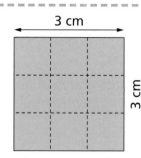 1 cm · 3 cm

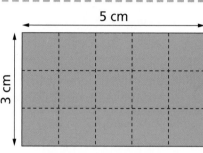 5 cm · 3 cm

Mesure l'aire du carré bleu et celle du rectangle vert en utilisant le cm² comme unité.
À partir de la longueur des côtés, **utilise** les formules de **L'essentiel** pour retrouver tes résultats.

2

Lorsque les dimensions sont données :
– en mètre, l'aire est exprimée en mètre carré (m²) ;
– en kilomètre, l'aire est exprimée en kilomètre carré (km²).

Un grand incendie a ravagé une zone carrée de 6 km de côté.
Calcule l'aire de cette zone.

3 **Calcule** l'aire de cette fresque.

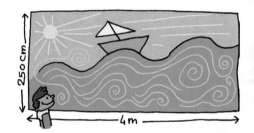
250 cm · 4 m

Tu dois exprimer les longueurs des côtés avec la même unité.

L'essentiel

Aire du carré = côté × côté
A = c × c

c = 5 cm

A = c × c
A = 5 cm × 5 cm = 25 cm²
Aire du carré = 25 cm²

Aire du rectangle = Longueur × largeur
A = L × l

l = 8 cm

L = 12 cm

A = L × l
A = 12 cm × 8 cm = 96 cm²
Aire du rectangle = 96 cm²

Regarde bien la remarque de Mélissa.
Aire du rectangle bleu :
4 m × 1,50 m = 6 m² ou
400 cm × 150 cm = 60 000 cm²

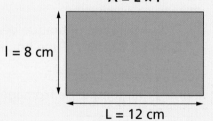 150 cm · 4 m

■ S'exercer --------------------------------------

❶ Calcule l'aire de ces figures en respectant les dimensions indiquées.

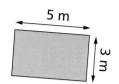

A

7 cm / 7 cm

5 m / 3 m

B

3,4 m / 3,4 m

12,5 cm / 8 cm

----

❷ Mesure les longueurs des côtés et **calcule** l'aire de ces figures en cm².

A

B

----

❸ Une table rectangulaire a une longueur de 1,70 m et une largeur de 80 cm.
Calcule son aire en m².

■ Résoudre --------------------------------------

❹ Problème guidé

Quelle est l'aire du pavage autour de cette piscine ?

— Calcule l'aire du grand rectangle : c'est l'aire de la piscine et du pavage.
— Calcule l'aire de la piscine.
— Tu peux alors calculer l'aire du pavage seul.

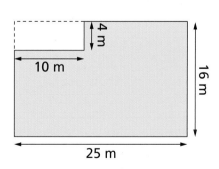

20 m / 11 m / 6 m / 12 m

----

❺ Quelle est l'aire de chaque jardin ?

a.

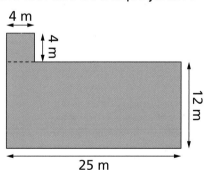

4 m / 4 m / 12 m / 25 m

b.

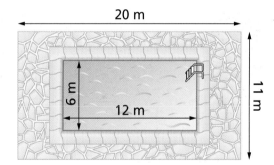

4 m / 10 m / 16 m / 25 m

----

❻ Une toile cirée est vendue 20 € le mètre carré. Elle a une forme rectangulaire de 2,80 m de long et 150 cm de large.
Quel est le prix de cette toile cirée ?

Le coin du chercheur

La fortune de Pikeuro double chaque jour. Aujourd'hui, il possède 12 000 écus d'or.
Combien en avait-il avant-hier ?

COMPÉTENCES : Résoudre une situation de proportionnalité simple. Distinguer une situation de proportionnalité de celles qui n'en sont pas.

Activités de recherche

1

Le gâteau de Suzette

Pour 6 personnes
4 œufs
120 g de farine
150 g de beurre
90 g de sucre

Je connais les ingrédients nécessaires pour réaliser un gâteau pour 6 personnes. Mais comment prévoir la quantité de chaque ingrédient si je souhaite réaliser un gâteau pour 3, 9 ou 12 personnes ?

Personnes	6	3	9	12
Œufs	4			
Farine (g)	120			
Beurre (g)	150			
Sucre (g)	90			

Recopie le tableau et **complète** la colonne correspondant à 3 personnes.
Trouve deux façons de compléter la colonne correspondant à 9 personnes, puis à 12 personnes.
Peux-tu prévoir rapidement les quantités pour 30 personnes ?

2 Voici un tableau qui indique le périmètre et l'aire d'un carré selon la longueur de son côté.
Recopie et **complète**-le.

Longueur côté en m	3	6	9	12
Périmètre en m	12			
Aire en m²	9			

Quand la longueur d'un côté est multiplié par 2, par 3, par 4 :
– le périmètre est-il multiplié par 2, par 3, par 4 ?
– l'aire est-elle multipliée par 2, par 3, par 4 ?

Utilise le tableau ci-dessus pour indiquer si le périmètre ou l'aire d'un carré est proportionnel à la longueur du côté.

L'essentiel

Quand deux grandeurs sont **proportionnelles**, lorsque l'une est multipliée par 2, par 3…, l'autre est aussi multipliée par 2, par 3…

	×2		+	
Nombre de personnes	3	6	9	15
Masse de beurre (en g)	75	150	225	375
	×2		+	

Quand deux grandeurs sont proportionnelles, si on connaît la valeur d'une de ces grandeurs, on peut calculer la valeur de l'autre grandeur.

⚠️ Toutes les grandeurs ne sont pas des grandeurs proportionnelles : le poids ou la pointure des chaussures ne sont pas proportionnels à l'âge !

S'exercer

Résoudre une situation de proportionnalité simple

1 En vacances, Samia achète des cartes postales vendues 2 € les trois cartes. **Complète** les tableaux.

A ×2 ×4

Cartes postales	3	6	24
Prix en €	2	...	...

×2 ×4

B

Cartes postales	3	18	21
Prix en €	2	...	...

---

2 À la récréation, Maxime échange 5 billes contre 2 boulards. **Complète** les tableaux.

A ...

Billes	5	...	...	...
Boulards	2	6	4	10

...

B

Billes	5	...	...	...
Boulards	2	8	12	20

---

3 La voiture des parents de Loïc consomme en moyenne 6 litres de carburant aux 100 km. Le prix d'un litre de carburant est 1,80 €.

A • Combien va-t-elle consommer sur un parcours de 400 km ?
• Combien va coûter le carburant consommé durant ce voyage ?

B • Combien va-t-elle consommer sur un parcours de 250 km ?
• Combien va coûter le carburant consommé durant ce voyage ?

---

4 Voici les renseignements que Romain a relevés dans son carnet de santé.

Distinguer une situation de proportionnalité de celles qui n'en sont pas

Âge (en années)	1	2	3	4	5
Poids (en kg)	9	13,5	15	?	?

• Combien pesait Romain à 2 ans ? À 3 ans ?

• L'âge et le poids sont-ils deux grandeurs proportionnelles ?
Peut-on prévoir le poids de Romain à 4 ans ? À 5 ans ?

Résoudre

5 Problème guidé

Une pile de 8 livres de mathématiques de CM2 pèse 3,6 kg.
Combien pèse une pile de 20 livres ?

20 = 8 + 8 + 4
Le poids de 20 livres, c'est deux fois le poids de 8 livres + le poids de 4 livres.

---

6 Pour 4 personnes, il faut faire cuire 2 tasses de riz blanc.
Combien de tasses de riz faut-il pour 12 personnes ? Pour 10 personnes ?

---

7 Un avion parcourt 480 km en 30 min.
Quelle distance parcourt-il en 10 min ?
En 15 min ? En 45 min ? En 1 heure ?

Le coin du cherch(eur)

Dessine un carré et ses diagonales.
Place les nombres de 1 à 5 aux sommets du carré et à l'intersection des diagonales.
La somme des nombres situés sur chaque diagonale doit être la même.

---

8 Pour un parcours de 100 km, une voiture dégage 90 g de dioxyde de carbone.
Quelle masse de dioxyde de carbone dégage-t-elle pour un parcours de : 50 km ? 75 km ? 1 000 km ?

66 Géométrie — Patrons de solides droits

COMPÉTENCES : Reconnaître ou compléter un patron de solide droit.

Activités de recherche

1

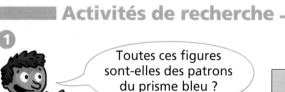

Toutes ces figures sont-elles des patrons du prisme bleu ?

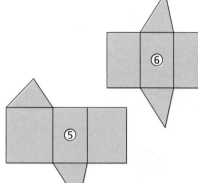
④
⑥

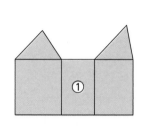
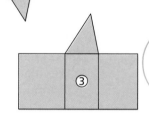
②
⑤
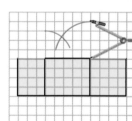

Vérifie :
– le nombre de faces ;
– la position des faces ;
– la forme des faces ;
– la longueur des arêtes.

①
③

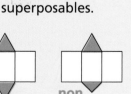

Trouve les deux patrons du prisme à base triangulaire.
Pourquoi les autres figures ne sont-elles pas des patrons ?

2 **Reproduis** la figure ci-contre, puis **complète**-la pour obtenir un patron de prisme à base triangulaire.
Découpe le patron puis **construis** le prisme par pliage.

Reporte les longueurs des arêtes à l'aide du compas pour construire les bases qui manquent.

L'essentiel

Patron de prisme à base triangulaire
Il est composé de 5 faces :
2 bases triangulaires et 3 faces latérales rectangulaires.

Ses bases sont opposées.	Ses bases sont superposables.	Les côtés de ses faces formant une arête sont de même longueur.

oui   non   oui   non   oui   non

Dans un prisme droit, le nombre de faces rectangulaires correspond au nombre de côtés de la base (6 sur cet exemple).

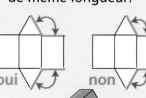

base

136

Banque d'*Exercices* et de
Problèmes n° 28 p. 150.

▓ S'exercer ---

Reconnaître un patron de prisme droit

1 **Associe** chaque solide à son patron.

Attention un de ces
patrons ne peut être associé à
aucun de ces trois solides !

2 **Observe** les figures ci-dessous. Laquelle est un patron de prisme ?

 A

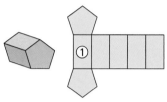

B

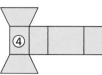

3 **Reproduis** la figure et **complète**-la pour obtenir
un patron de prisme à base triangulaire.

Compléter un patron de prisme droit

A

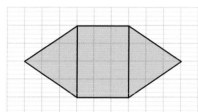

B

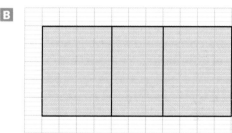

Pour vérifier, découpe le patron que
tu as tracé puis construis le prisme.

▓ Résoudre ---

4 **Problème guidé**

Quel patron correspond à ce prisme ?

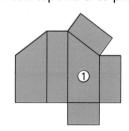

①

— Observe le solide:
Quelle est la forme des deux bases ?
Quelle est la forme des faces latérales?
Quel est leur nombre ?
— Observe les figures et utilise
les réponses précédentes pour
choisir le patron.

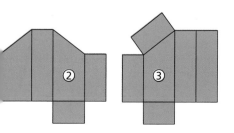

② ③

Le coin du cherch**eur**

Utilise les nombres
25 ; **10** ; **4** ; **7**
et les signes **+** ; **−** ; **×**
pour trouver le nombre **181**.

Mesurer des aires : unités usuelles

COMPÉTENCES : Connaître et utiliser les unités d'aire usuelles.

Activités de recherche

1

J'ai tracé un carré de 1 m de côté. Son aire est de 1 m². On dit : « un mètre carré ». Je l'ai ensuite quadrillé en carrés de 1 dm². Il y en a 100. Donc 1 m² = 100 dm²

Moi, j'ai quadrillé un carré de 1 dm² en cm². Il y a aussi 100 carrés de 1 cm² dans 1 dm².

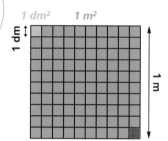

Selon toi, dans un cm², il y a combien de mm² ?

Recopie et **complète** :

1 m² = ... dm² = ... cm²   1 dm² = ... cm²   1 cm² = ... mm²

Un carré d'un km de côté a une aire d'un kilomètre carré (1 km²).

1 km² = 1 km × 1 km = ... m × ... m → 1 km² = ... m²

Utilise le tableau de **L'essentiel** pour convertir : 4 500 cm² = ... m² ; 0,4 km² = ... hm²

2 L'aire d'un champ, celle d'un étang ou d'une forêt, sont souvent exprimées en hectares (ha). Un hectare correspond à l'aire d'un carré de 100 m de côté.

Recopie et **complète** : 1 ha = ... hm² ; 1 ha = ... m² ; 1 km² = ... ha ; 500 ha + 1,1 km² = ... ha

L'essentiel

Unités

Les principales unités d'aires sont :

le centimètre carré (cm²),

Couverture du livre : 572 cm²

le mètre carré (m²),

Salle de classe : 70 m²

le kilomètre carré (km²)

France : 550 000 km²

Convertir

	km²	hm² ha	dam²	m²	dm²	cm²	mm²	
1 km² en m²	1	0 0	0 0	0 0				1 000 000 m²
1 m² en cm²				1	0 0	0 0		10 000 cm²
0,1250 m² en cm²				0	1 2	5 0		1 250 cm²

1 km² = 100 hm² = 1 000 000 m²   1 ha = 1 hm² = 10 000 m²
1 m² = 100 dm² = 10 000 cm²   1 cm² = 100 mm²

Comparer, calculer

Pour comparer, ajouter ou retrancher des aires, il faut qu'elles soient exprimées dans la même unité.

Pour chaque colonne correspondant à une unité d'aire, il y a 2 chiffres par colonne.
1 m = 10 dm mais 1 m² = 100 dm²

▬▬ S'exercer ▬▬▬▬▬▬▬▬▬▬▬▬▬▬▬▬▬▬▬▬▬▬▬▬▬▬▬▬▬▬▬▬▬

Choix de l'unité d'aire

❶ Avec quelle unité (cm², m² ou km²) exprime-t-on couramment :
- l'aire d'un mouchoir ?
- l'aire d'une chambre ?
- l'aire de la Corse ?
- l'aire d'une ardoise ?
- l'aire d'un terrain de football ?

> Les dimensions d'un mouchoir sont de quelques cm, l'aire d'un mouchoir sera en cm².

Convertir des unités d'aire

❷ Recopie et **complète**.

A 4 m² = … cm²   5 km² = … m²
20 cm² = … mm²   5 ha = … m²

B 0,05 km² = … m²   0,4 cm² = … mm²
42 000 cm² = … m²   2 500 m² = … hm²

Additionner des aires

❸ Calcule.

A 1,5 m² + 5 000 cm² = … cm²
0,5 km² + 20 hm² = … m²

B 15 000 cm² + 0,5 m² = … m²
140 000 m² + 0,6 km² = … km²

$$\begin{array}{r} 4 \\ 90{,}50 \\ \times \quad 8 \\ \hline 72\,400 \end{array}$$

▬▬ Résoudre ▬▬▬▬▬▬▬▬▬▬▬▬▬▬▬▬▬▬▬▬▬▬▬▬▬▬▬▬▬▬

❹ Problème guidé

Dans cette pièce d'une villa romaine, plusieurs dalles sont cassées.
Quel était le nombre de dalles de cette pièce ?
Chaque dalle a une aire de 1600 cm².
Calcule l'aire de cette pièce en cm² puis en m².

> — Pour trouver le nombre de dalles, compte les dalles par ligne et par colonne.
> — Calcule ensuite l'aire de la pièce en cm² puis convertis-la en m².

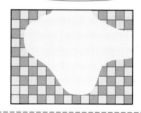

----

❺ Pour alimenter en électricité son chalet, Mathieu installe 8 panneaux photovoltaïques.
Chaque panneau a une aire de 90,50 dm².
Quelle est l'aire totale des panneaux photovoltaïques installés ?
Réponds en dm² puis en m².

----

❻ Un hectare correspond à l'aire d'un carré de 100 m de côté.
- **Convertis** 1 km² en hectares.
L'étang du Vaccarès, en Camargue a une superficie de 6 500 hectares.
- **Exprime** cette superficie en km².

----

❼ Un are est l'aire d'un carré de 10 m de côté.
- **Convertis** un are en m².
Un jardinier possède un jardin de 900 m² et un autre de 11 ares ?
- **Lequel** est le plus grand ?
Quelle est l'aire totale des deux jardins ?

Le coin du cherch**eur**

> Un camion et sa remorque transportent 12 tonnes de marchandises. Le camion porte le double de la remorque. Combien transporte-t-il ?

Résoudre une situation de proportionnalité (2)

COMPÉTENCES : Résoudre une situation de proportionnalité par retour à l'unité. Utiliser la règle de trois.

Activités de recherche

1

Léa a acheté 5 ballons pour 40 €. Je voudrais en acheter 7. Combien vais-je payer ?

Calcule d'abord le prix d'un seul ballon.

7 ballons coûtent 7 fois le prix d'1 ballon.

5 ballons coûtent 40 €. 1 ballon coûte 5 fois moins : on divise donc 40 € par 5.

Recopie et **complète** le tableau :

Ballons	5	1	7
Prix en €	40	...	...

À ton tour, calcule le prix de 11 ballons.

2 Trois ramettes de feuilles pèsent 7,5 kg. Combien pèsent 4 ramettes de feuilles ? **Recopie** et **complète** le tableau.

Ramettes	3	1	4
Masse en kg	7,5	...	...

L'essentiel

Règle de trois

Pour résoudre un problème de proportionnalité, on peut utiliser le « **retour à l'unité** ». On effectue alors deux opérations : une division et une multiplication. Ce raisonnement s'appelle la « **règle de trois** ».

3 BD coûtent 24 €.
1 BD coûte 3 fois moins : 24 € ÷ 3 = 8 €
5 BD coûtent 5 fois plus : 8 € × 5 = 40 €

	÷ 3	× 5
Nombre de BD	3	1	5
Prix en euros	24	8	40
	÷ 3	× 5

Choisis la méthode qui convient le mieux. Par exemple, si on connaît le prix de 5 feutres :
– pour calculer le prix de 10 feutres, on multiplie le prix par 2 ;
– pour calculer le prix de 9 feutres, on utilise la « règle de trois ».

Banque d'Exercices et de Problèmes n°s 31 à 33 p. 150.

S'exercer

Résoudre une situation de proportionnalité par retour à l'unité

1 En vacances, Samia paie 16 € pour 4 billets d'entrée à la piscine municipale.

A Combien paiera-t-elle pour 5 billets ?

÷4 ×5

Billets	4	1	5
Prix en €	16	...	...

÷4 ×5

B Combien paiera-t-elle pour 11 billets ?

Billets	4	...	11
Prix en €	16	...	...

2 **A** Cinq albums coûtent 60 €.
Combien coûte 1 album ?
Combien coûtent 6 albums ?

... ...

Albums	5	1	6
Prix en €	60	...	...

... ...

B Quatre BD coûtent 50 €. Le maître veut acheter 14 BD pour la bibliothèque de la classe. Combien va-t-il les payer ?

BD	4	...	14
Prix en €	50	...	...

3 Voici la recette du cocktail Banana Sprint.
Quelles quantités faut-il pour préparer un cocktail pour 5 personnes ? Pour 9 personnes ?

Personnes	6	1	5	9
Œufs	6	...	...	...
Jus de banane (cL)	60	...	...	...
Sirop de citron (cL)	12	...	...	...

Ingrédients pour 6 personnes :
– 6 œufs
– 60 cL jus de banane
– 12 cL de sirop de citron

Résoudre

4 *Problème guidé*

Pour faire de la confiture d'abricots, il faut 3 kg de sucre pour 4 kg d'abricots.
Léa a ramassé 7 kg d'abricots.
Quelle masse de sucre doit-elle utiliser ?

– Cherche d'abord la masse de sucre nécessaire pour 1 kg d'abricots.
Le résultat est un nombre à virgule.
– Calcule ensuite la masse de sucre nécessaire pour 7 kg d'abricots.

5 Six noisettes ont la même masse que quatre amandes.
Combien faut-il de noisettes pour avoir la même masse que 14 amandes ?

6 **Reproduis** cette droite graduée.
Place la graduation 260.

Cherche la valeur de la graduation correspondant à un carreau.

7 Une famille de 4 personnes produit 28 kg de déchets par semaine.
Calcule la quantité de déchets produits en une semaine par :
– une famille de 5 personnes ?
– un village de 700 personnes ?

Le coin du chercheur

Reproduis cette figure sans lever ton crayon et sans repasser deux fois sur un même segment.

69 La division posée : quotient d'un décimal par un entier

Nombres

COMPÉTENCE : Maîtriser l'algorithme de la division d'un nombre décimal par un nombre entier.

Calcul mental

Tables de multiplication.
8 × 7 ; 6 × 9…

▰▰▰▰ Activités de recherche ---------------------

1 Sept amis préparent un pique-nique.
Ils partagent les frais du repas qui s'élèvent à 59,28 €.
Quelle est la part payée par chacun, au centime près ?
Observe, **recopie** et **complète** l'opération.

> Pour diviser **59,28** par **7**, je calcule d'abord la partie entière du quotient. En 59 combien de fois 7 ? « Il y va » **8** fois : 7 × 8 = 56 ; 8 est la partie entière du quotient. 59 – 56 = 3, il reste 3 unités.

			dixièmes	centièmes

```
    5  9,  2    8  | 7
  - 5  6          | 8, 4 ...
    0  3   2      |
      - 2   8     |
          4   8   |
        - ... ... |
              ... |
```

> Je place une virgule au quotient. J'abaisse le **2** de la colonne des **dixièmes**. Je continue l'opération en divisant 32 dixièmes par 7…

> Pour terminer, j'abaisse le **8** dans la colonne des **centièmes** et je continue… Finalement, il reste … centièmes.

L'un des amis paie le reste de la facture en plus de sa part.
Quel sera le montant de sa participation ?

2 À ton tour, **calcule** le quotient au dixième près, de 149,6 divisé par 4.

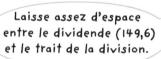

> Laisse assez d'espace entre le dividende (149,6) et le trait de la division.

3 Julie partage un ruban de 2,5 m en 7 parties égales.
Pour trouver la longueur d'un morceau de ruban au cm près, à combien de chiffres après la virgule doit-elle arrêter la division ?
Même question pour avoir une longueur au millimètre près ?

▭ L'essentiel ▭

• Lorsqu'on divise un nombre décimal par un nombre entier, on place la virgule au quotient lorsqu'on abaisse le chiffre des dixièmes du dividende.

• Si le quotient est demandé au dixième, au centième ou au millième près, on arrête la division à 1, 2 ou 3 rangs après la virgule.
Par exemple, si le quotient est un prix en euros, on s'arrête 2 chiffres après la virgule pour une valeur au centime près.

> Pour calculer 13,6 divisé par 3 au centième près, écris 13,60 lorsque tu poses la division.

■■ S'exercer -

Maîtriser l'algorithme de la division posée d'un nombre décimal par un nombre entier

❶ Écris le quotient de chaque division en plaçant correctement la virgule.

```
  3 9, 1 2 | 4            2 8 1, 2 | 4            7, 9 5 3 | 6
- 3 6      | 9 7 8      - 2 8     | 7 0 3      - 6       | 1 3 2 5
    3 1                     0 1                    1 9
  - 2 8                   - 0 0                  - 1 8
      3 2                     1 2                    1 5
    - 3 2                   - 1 2                  - 1 2
        0                       0                      3 3
                                                     - 3 0
                                                         3
```

- -

Poser et effectuer une division posée d'un nombre décimal par un nombre entier

❷ Pose, effectue au dixième près.

A 7,6 divisé par 3   8,5 divisé par 7   **B** 65,8 divisé par 5   16,2 divisé par 3

   4,9 divisé par 4   3,1 divisé par 9   175,4 divisé par 6   567,8 divisé par 8

- -

❸ Pose, effectue au centième près.

> Pense à placer la virgule au quotient quand tu abaisses le chiffre des dixièmes.

A 80,85 divisé par 3   70,68 divisé par 6   **B** 99,1 divisé par 3   760,8 divisé par 9

   10,51 divisé par 4   20,48 divisé par 6   0,85 divisé par 7   0,1 divisé par 5

■■ Résoudre -

❹ Problème guidé

Un carré a un périmètre de 13,6 m.
Quelle est la longueur d'un côté
au centimètre près ?

> — Le périmètre
> est la longueur des 4 côtés.
> Le centimètre correspond au centième de mètre.
> — Pour calculer le quotient au centième près,
> il est pratique de placer un zéro pour avoir
> les centièmes : 13,6 = 13,60

❺ Cinq DVD coûtent 96 €.
Quel est le prix d'un DVD, au centime près ?

❻ Julia partage 1 kg de framboises en 6 barquettes.
Quelle est, au gramme près, la masse de framboises
contenue dans une barquette ?

❼ Léa a un bracelet en or qui pèse 9,45 g.
Elle demande à son bijoutier de le transformer en boucles d'oreilles.
Avec l'or, le bijoutier lui fabrique deux paires
de boucles d'oreilles.
Combien pèse chaque boucle, au milligramme près ?

Le coin du chercheur

Toutes les minutes, une goutte
tombe du robinet.

Combien de temps se passe-t-il
entre la première goutte
et la dixième ?

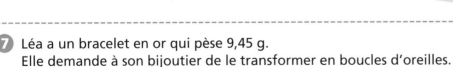

Mobilise tes connaissances ! (4)

COMPÉTENCES :
Rechercher et organiser des données d'un problème en vue de sa résolution.
Résoudre des problèmes de plus en plus complexes.

Océanopolis (Brest)

Océanopolis est un centre de culture scientifique consacré aux océans. Il a été ouvert en 1970. Aujourd'hui, Océanopolis propose au public une cinquantaine d'aquariums de 50 à 1 000 000 litres (le bassin des requins).

Dix-mille animaux et végétaux marins peuvent ainsi être découverts dans ce complexe.

Le centre Océanopolis se compose de quatre pavillons : tempéré, polaire, tropical et biodiversité.

Le pavillon tropical accueille un mur de coraux vivants de 12,5 m de long et de 2,5 m de haut. L'eau de cet aquarium est extrêmement pure et très lumineuse. Elle permet à de nombreux coraux de coloniser le décor et d'abriter des espèces de poissons multicolores.

1. Calcule l'aire du mur de coraux vivants.

Le pavillon de la biodiversité accueille une exposition consacrée au *Monde abyssal*. Elle permet aux visiteurs de découvrir des animaux vivants dans les grandes profondeurs. Un film « *Monstre des Abysses* » présente grâce à des images virtuelles la vie au fond des océans.

Ce film est projeté à 11 h 30 ; 14 h 00 et 15 h 55.

Il dure 12 minutes.

Océanopolis Brest

NOUVEAUTÉ 2012
VOYAGE
Abyssal
REGARDS SUR L'EXTRÊME

2. Calcule le prix d'entrée pour une famille composée de :
– 2 parents,
– 1 enfant de 2 ans,
– 1 enfant de 10 ans.

3. Calcule pour chacune des projections, l'heure à laquelle se termine le film.

Tarifs billetterie en ligne
Moins de 3 ans : gratuit
De 3 à 17 ans : 12,10 €
Plus de 18 ans : 17,30 €

www.oceanopolis.com

Nausicaá (Boulogne-sur-Mer)

Avec 35 000 animaux, 5 000 m² d'exposition et 4,5 millions de litres d'eau, Nausicaá est le plus grand complexe européen dédié à la connaissance de l'univers marin.

L'aquarium Nausicaa est composé de différents univers permettant de découvrir de très nombreuses espèces d'animaux.

En voici quelques-unes (nom et taille moyenne).

Requin gris	Anguille-loup	Poulpe géant	Requin tapis	Caïman
2,5 mètres	240 cm	3 000 mm	32 dm	0,26 dam

4. Range par ordre croissant ces animaux en fonction de leur taille.

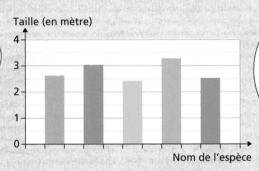

Taille (en mètre)

5. Voici un graphique représentant chaque animal ci-dessus par rapport à sa taille. Associe à chaque couleur le nom de l'animal correspondant.

Cet aquarium accueille aussi des mammifères marins, tels que les otaries de Californie. Ces animaux sont, comme tous les mammifères, dotés de poumons. Ils doivent donc respirer hors de l'eau.

6. Voici le temps d'apnée moyen de quelques mammifères marins. Trace le graphique en bâtons correspondant.

L'**otarie de Californie** peut rester 5 minutes en apnée.

La **baleine bleue** reste sous l'eau jusqu'à 50 minutes.

Le **grand dauphin** peut rester un quart d'heure sans respirer.

Le **phoque gris** peut rester 20 minutes sans respirer.

7. Généralement, les aquariums à méduses ont une forme de cylindre. Reproduis ce patron et construis le cylindre. Décore-le ensuite.

2,5 cm

15,7 cm

10 cm

Durée (en minute)

Pour chaque exercice, reco
la bonne réponse **A**, **B** ou

▪ Grandeurs et mesure

		A	B	C	Aide
1	La longueur d'un cercle de 10 cm de diamètre est égale à :	314 cm	31,4 cm	62,8 cm	**Leçon 55** L'essentie
2	La longueur d'un cercle de 10 cm de rayon est égale à :	314 cm	31,4 cm	62,8 cm	Exercices 1 et 2
3	Convertis en minutes 1 h 45 min	145 min	105 min	90 min	
4	Donne en heures et minutes le résultat de la somme : 2 h 45 min + 1 h 30 min	4 h 15 min	3 h 75 min	4 h 75 min	**Leçon 59** L'essentie
5	Quelle est la durée d'un film qui commence à 20 h 40 min et se termine à 22 h 20 min ?	2 h 20 min	2 h 40 min	1 h 40 min	Exercices 1, 2, 3 et Problème
6	Quelle est la durée d'un voyage en voilier qui a commencé le 28 juillet au matin et s'est terminé le 8 août au matin ?	11 jours	10 jours	12 jours	
7	Quelle est l'aire d'un carré de 10 m de côté ?	40 m²	20 m²	100 m²	
8	Quelle est l'aire d'un rectangle de 110 m de long et 60 m de large ?	170 m²	340 m²	6 600 m²	
9	Quelle est l'aire d'un rectangle de 90 cm de large et 2 m de long ?	180 cm²	1,80 m²	180 m²	**Leçon 64** L'essentie Exercices 1, 3 et Problème
10	Quelle est, en m², l'aire de la zone verte ?	72 m²	87 m²	57 m²	
11	Convertis 1,5 m² en cm².	150 cm²	15 000 cm²	1 500 cm²	
12	La cour de l'école a une aire de 7,20 dam², le jardin public a une aire de 720 m². Compare leurs aires.	Ils ont la même aire	La cour a une aire plus grande que le jardin public	Le jardin public a une aire plus grande que la cour	**Leçon 67** L'essentie Exercice

▪ Calcul

			A	B	C	Aide
13	Calcule le quotient de 8 divisé par 7	Au dixième près	1,1	1,14	1,1428	**Leçon 56** L'essentie
14		Au millième près	1,14	1,142	1,1428	Exercices 1, 3 et
15	Six œufs coûtent 2,40 €. Combien coûte un œuf ?		4 €	0,40 €	14,40 €	Problème

Calcul

		A	B	C	Aide
6	Calcule le quotient exact de :	5,7 divisé par 3	19	0,19	1,9	Leçon 69 L'essentiel Exercice 3
7		65,485 divisé par 7	9355	93,55	9,355	

Géométrie

		A	B	C	Aide
8	Trouve le rectangle.	FGJI	ACGF	FEGH	Leçon 57 L'essentiel Problème 4
9	Trouve le parallélogramme.	BDGF	FGJI	FBGI	
10	Trouve le carré.	ACGF	FEGH	FGJI	
11	Je suis un quadrilatère, mes côtés opposés sont parallèles et de même longueur, je n'ai aucun axe de symétrie.	Je suis un rectangle	Je suis un losange	Je suis un parallélogramme	Leçon 57 L'essentiel Exercice 2
12	De quel solide suis-je un patron ?	Un pavé droit	Un prisme droit	Une pyramide	Leçon 66 L'essentiel

Organisation et gestion des données

		A	B	C	Aide
13	Le tableau ci-dessous indique le nombre d'élèves d'une école ayant mangé à la cantine durant la semaine écoulée : **Jour** Lun / Mar / Jeu / Ven **Effectif** 85 / 70 / 75 / 65 Quel est le graphique qui correspond à ce tableau ?	(graphique)	(graphique)	(graphique)	Leçon 60 Activité de recherche 2
14	Une pile de 5 cahiers identiques a une hauteur de 3 cm. Quelle est la hauteur en centimètres d'une pile de 15 cahiers ?	13 cm	6 cm	9 cm	Leçon 65 L'essentiel Exercice 2 et Problème 5
15	En échangeant 10 billes, Paul a obtenu 4 boulards. En échangeant 5 billes, Tony a obtenu 2 boulards. Combien de boulards obtiendra Sophie en échangeant 15 billes ?	15	9	6	
16	Cinq billes pèsent 40 g, combien pèsent 7 billes ?	47 g	56 g	62 g	Leçon 68 L'essentiel

Banque d'Exercices et de Problèmes (4)

▰▰ LEÇON 55

1 **Calcule** la longueur d'un cercle de diamètre 10 cm, puis celle d'un cercle de rayon 8 cm.

2 *Comme le problème guidé*
Calcule le périmètre de ce champ.

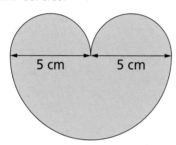

3 **Calcule** le périmètre de cette figure formée de 3 demi-cercles.

▰▰ LEÇON 56

4 **Pose** la division **et trouve** le quotient au dixième près.
9 divisé par 4 ; 47 divisé par 6 ; 789 divisé par 8

5 **Pose** la division et **trouve** le quotient au dixième près, au centième près, au millième près de 421 divisé par 7.

6 *Comme le problème guidé*
*Pour chaque problème, **choisis** de calculer le quotient à l'unité près, au centième près ou au millième près.*
a. Maman a dépensé 91 € pour acheter 4 draps.
Quel est le prix d'un drap ?
b. Avec 1 kg de chocolat, le chocolatier confectionne 42 œufs en chocolat.
Quelle est la masse d'un œuf ?
c. Une tonne d'oranges est répartie dans des caisses de 30 kg.
Combien de caisses complètes va-t-on obtenir ?

▰▰ LEÇON 57

7 **Trouve** le rectangle, le losange, le parallé-gramme et le carré.

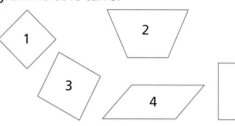

8 *Comme le problème guidé*
Nomme 2 carrés et 3 parallélogrammes.

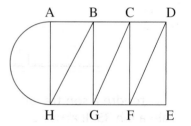

▰▰ LEÇON 58

9 **Reproduis** la figure et **complète** le car Un côté est déjà tracé.

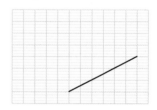

10 *Comme le problème guidé*
Reproduis la figure puis **termine** le para logramme ABCD.

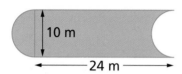

11 **Reproduis** cette figure formée de 2 carr d'un rectangle et d'un losange.

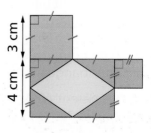

148

LEÇON 59

Recopie et **complète**.
92 min = …. h … min   ;   240 min = … h

Calcule puis **convertis**.
39 s + 141 s ;   98 s – 23 s ;
59 min + 51 min ;   3 800 s – 200 s

Comme le problème guidé

Léo part de Marseille à 21 h 45. Il arrive à Nantes le lendemain matin à 7 h 20.
Quelle est la durée du voyage ?

Carlos est parti en vacances le matin à 6 h 30. Il est arrivé à 12 h 10.
Quelle est la durée de son voyage ?

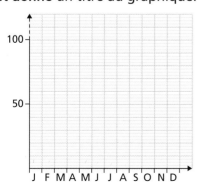

Pour se rendre à son travail, Jérémie prend le train à 6 h 35. Il arrive à 7 h 18.
Quelle est la durée du trajet ?

LEÇON 60

Voici un tableau indiquant le nombre de spectateurs d'un multiplexe cinématographique, en milliers.

Janv.	Fév.	Mars	Avril	Mai	Juin
60	55	65	55	60	50

Juillet	Août	Sept.	Oct.	Nov.	Déc.
45	40	55	60	55	80

Trace le graphique en bâtons correspondant à ce tableau.
Indique les grandeurs portées par chaque axe et **donne** un titre au graphique.

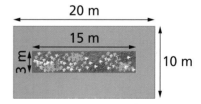

Quel est le mois où le nombre de spectateurs est le plus élevé ?
Quels sont les deux mois où le nombre de spectateurs est le moins élevé ?

LEÇON 61

18 Pour équiper sa nouvelle cuisine, la maman de Léa a dépensé 1 367 euros. Elle a acheté un frigo à 649 €, un four à 423 €, une plaque à 238 €. Elle ne retrouve plus la facture du four à mico-ondes. Quel était son prix ?

LEÇON 63

19 Utilise ta calculatrice pour trouver les quotients au millième près de :
700 divisé par 13 ; 1 234 divisé par 175 ; 345 divisé par 603

20 Utilise ta calculatrice pour trouver les compléments à 1 des nombres suivants :
0,99 ; 0,0111 ; 0,789 ; 0,099 ; 0,0009

21 *Comme le problème guidé*

Un garagiste a payé ce bidon 364,30 €.
Quel est, au centime près, le prix du litre d'huile ?

LEÇON 64

22 **Calcule** l'aire d'un carré de 2,5 cm de côté puis celle d'un rectangle dont les côtés mesurent 4 cm et 1,5 cm.

23 *Comme le problème guidé*

Quelle est l'aire du massif de fleurs ?
Quelle est l'aire de la pelouse ?

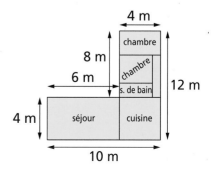

24 Quelle est l'aire de la maison ?

■ LEÇON 65

25 Une voiture consomme 6 L pour parcourir 100 km.
Combien consomme-t-elle pour parcourir 500 km ?
Recopie les deux bonnes réponses.

5 fois plus	28 litres	4 fois plus
36 litres	6 fois plus	30 litres

26 Une douzaine d'œufs pèse 660 g.
Combien pèsent 2 œufs ?
Combien pèse une plaque de 20 œufs identiques ?

27 *Comme le problème guidé*
Une pile de 12 cahiers pèse 3 kg.
Combien pèse une pile de 40 cahiers ?

■ LEÇON 66

28 *Comme le problème guidé*
Quel patron correspond à ce prisme ?

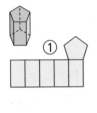
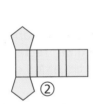
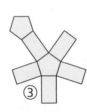

■ LEÇON 67

29 **Calcule** en km².
0,59 km² + 782 hm² + 4 600 dam²

30 *Comme le problème guidé*
Quel est le nombre de dalles de cette salle d'une villa romaine ?
Chaque dalle a une aire de 2 600 cm².
Calcule l'aire de cette salle en cm² puis en m².

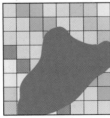

■ LEÇON 68

31 Un rouleau de 50 m de fil de fer pèse 6 kg.
– Combien pèse 1 m de fil de fer ?
– Combien pèsent 27 m de fil de fer ?

32 Quatre DVD coûtent 48 €. Quel est le prix de cinq DVD ?

33 *Comme le problème guidé*
Dans une recette de cuisine, il faut 300 g de farine pour 125 g de beurre.
Quelle masse de farine faut-il prévoir pour 400 g de beurre ?

■ LEÇON 69

34 **Pose** la division **et** **trouve** le quotient au dixième près.
6,8 divisé par 2   58,9 divisé par 4
369 divisé par 5

35 **Pose** la division **et** **trouve** le quotient au centième près.
8,86 divisé par 7   33,89 divisé par
875,93 divisé par 7

36 Avec 1,5 L d'eau, Lilia remplit 6 petites bouteilles identiques.
Quelle est la contenance, au cL près, d'une de ces bouteilles ?

37 *Comme le problème guidé*
Une pelouse carrée a un périmètre de 45,6 m
Quelle est la longueur d'un de ses côtés ?

■ Problèmes de recherche ----

38 Dans un ranch on compte 30 chevaux qui appartiennent à Pedro et à Anita.
Pedro a 8 chevaux de plus qu'Anita.
Combien de chevaux chacun possède-t-il ?

39 Partage 120 billes entre Bruno et Laure de façon que Bruno ait 16 billes de moins que Laure.

40 Partage 90 pommes entre Lilian, Nelly et Aurélie, de façon que Nelly ait 15 pommes de plus que chacun de ses camarades.
Quelle sera la part de chacun ?

Période 5

Cherche dans le dessin des détails illustrant les notions étudiées dans la période.
Retrouve Mathéo la mascotte.

	Leçons		Leçons
Trouver le quotient et le reste d'une division avec la calculatrice.	75	• Résoudre un problème.	79
Utiliser les parenthèses dans un calcul.	81	• Résoudre des problèmes relevant de la proportionnalité.	72, 85
Utiliser les touches mémoire d'une calculatrice.	82	• Calculer un pourcentage.	77
Utiliser les fractions en mesure.	73, 76	• Calculer une vitesse.	83
Calculer l'aire d'un triangle.	71	• Tracer le symétrique d'une figure.	74
Calculer le volume d'un pavé droit.	78	• Utiliser un programme de construction.	84
		• Résoudre des problèmes relatifs aux échelles.	86

71 Aire du triangle

Grandeurs

COMPÉTENCE : Calculer l'aire d'un triangle en utilisant la formule appropriée.

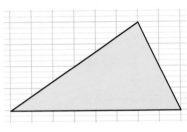

Calcul mental

Additionner deux petits nombres décimaux.
$0,7 + 0,3$; $0,1 + 0,9$ …

■■■ Activités de recherche ----------------------------------

1 **Trace** un triangle sur papier quadrillé.
Enferme-le dans un rectangle comme l'a fait Hamed.
Colorie le triangle en jaune et **hachure** le reste du rectangle.
Découpe la partie hachurée et **superpose**-la au triangle jaune.
● Que peux-tu dire de l'aire de la partie hachurée et de celle du triangle jaune ?
● Que peux-tu dire de l'aire du triangle jaune et de celle du rectangle ?

Pour calculer **l'aire du triangle jaune**, j'ai tracé un rectangle autour du triangle.
La longueur (L) du rectangle est égale à **la base (b)** du triangle, **la largeur (l)** du rectangle est égale à **la hauteur (h)** du triangle.

Recopie et **complète** les phrases de Théo.

L'aire du triangle jaune est … de celle du rectangle.
Aire du rectangle = $L \times l$
$L = b$ (base du triangle) et $l = h$ (hauteur du triangle)
Donc : Aire du triangle = …

2 **Calcule** l'aire d'un triangle :
sa base mesure 6 cm et sa hauteur 3 cm.
Calcule l'aire d'un triangle :
sa base mesure 7 m et sa hauteur 5 m.

L'aire s'exprime en cm² si toutes ses longueurs sont exprimées en centimètres, et en m² si toutes ses longueurs sont exprimées en mètres.

__L'essentiel__

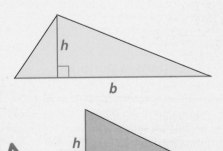

Aire du triangle = (base × hauteur) ÷ 2

$$A = (b \times h) \div 2$$

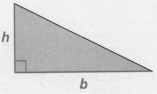

Dans un triangle rectangle, les côtés de l'angle droit sont aussi la base (b) et la hauteur (h) du triangle.

S'exercer

❶ Calcule l'aire de chaque triangle.

A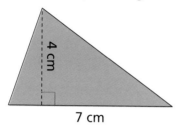

4 cm
7 cm

B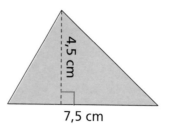

4,5 cm
7,5 cm

❷ Calcule l'aire de chaque triangle blanc. Quelle est l'aire de la partie colorée ?

A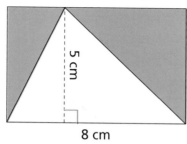

5 cm
8 cm

B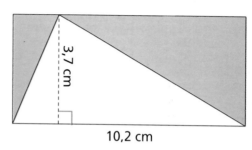

3,7 cm
10,2 cm

Résoudre

❸ Problème guidé

Calcule l'aire du triangle jaune et celle du triangle orange. Que constates-tu ?

> – Observe la hauteur de chaque triangle : elle est égale à la moitié de la base de l'autre triangle.
> – Calcule l'aire de chaque triangle à l'aide de la formule de **L'essentiel**, puis réponds à la question.

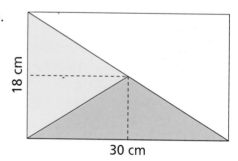

18 cm
30 cm

❹ Un ouvrier a peint un panneau triangulaire de 5 mètres de base et 3 mètres de haut. Quelle est l'aire de la surface peinte ?

❺ Calcule l'aire du triangle rectangle bleu de deux façons différentes.

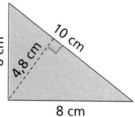

6 cm
4,8 cm
10 cm
8 cm

❻ Calcule l'aire de ce champ.

> Tu peux décomposer cette figure en un carré et un triangle ou en deux triangles.

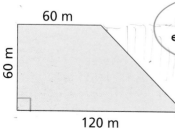

60 m
60 m
120 m

Le coin du chercheur

Quel est le nombre suivant ?

1   3   7   15   31   ...

Conversion et proportionnalité

Calcul mental

Additionner un petit nombre décimal.
2,7 + 0,5 ; 1,6 + 0,4...

COMPÉTENCE : Utiliser la proportionnalité pour effectuer des conversions.

Activités de recherche

①

Comment convertir 1,2 kg en grammes sans utiliser le tableau de conversion ?

Pour convertir 1,2 kg en grammes il suffit de savoir que : **1 kg = 1 000 g** puis d'utiliser la proportionnalité.

		×1,2
Masse en kg	1	1,2
Masse en g	1 000	...

(× 1,2)

Complète le tableau de proportionnalité.
À ton tour, **convertis** 0,8 kg en grammes.

②

Comment convertir 2,5 m² en dm² sans utiliser le tableau de conversion ?

Utilise la proportionnalité.
Comme **1 m² = 100 dm²** alors 2,5 m² c'est 2,5 fois plus : 2,5 m² = ... dm²

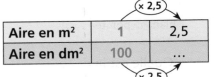

		×2,5
Aire en m²	1	2,5
Aire en dm²	100	...

(× 2,5)

Complète le tableau de proportionnalité et la bulle de Léa.
À ton tour, **convertis** 5,3 m² en dm².

L'essentiel

Pour convertir des unités de longueur, de masse, de contenance, d'aire, de volume...,
on peut utiliser le raisonnement de proportionnalité du « retour à l'unité ».
Il faut connaître les **relations entre les unités**, par exemple :

1 kg = 1 000 g	donc	3,2 kg = 3,2 × 1 000 g = 3 200 g
1 m² = 100 dm²	donc	0,7 m² = 0,7 × 100 dm² = 70 dm²

⚠️

Observe comment je convertis des unités d'aire et de volume :
$1 m^2 = 1 m \times 1 m = 10 dm \times 10 dm = 100 dm^2$
$1 m^2 = 100 cm \times 100 cm = 10 000 cm^2$

S'exercer

Utiliser la proportionnalité pour effectuer des conversions

① **Convertis** en utilisant un raisonnement de proportionnalité.

A
1 hm = ... m	donc	25 hm = ...m
1 L = ... cL	donc	12 L = ... cL
1 m² = ...dm²	donc	64 m² = ... dm²
1 ha = ... m²	donc	12 ha = ... m²

B
1 m = ... cm	donc	0,2 m = ...cm
1 hL = ... L	donc	2,5 hL = ... L
1 dm² = ... cm²	donc	2,8 dm² = ... cm²
1 cm² = ... mm²	donc	0,5 cm² = ... mm²

② Un agriculteur possède une cuve de 6 hL de jus de pomme. Il veut mettre ce jus dans des bouteilles de 75 cL. Il dispose de 900 bouteilles. A-t-il assez de bouteilles pour vider entièrement sa cuve ?

Pense à convertir en litres la contenance de la cuve et celle des bouteilles pour pouvoir les comparer.

Les fractions en musique

Calcul mental
Soustraire
un petit nombre décimal.
5,8 – 0,5 ; 7,3 – 0,2…

COMPÉTENCE : Réinvestir les fractions en musique.

Activités de recherche

1 En musique, la durée d'une note s'exprime en « temps ».

La musique c'est des maths !

ronde : ○ = 4 temps	blanche : ♩ = 2 temps	noire : ♩ = 1 temps

croche : ♪ = $\frac{1}{2}$ temps

double croche : ♬ = $\frac{1}{4}$ temps

Reproduis la droite graduée et **places**-y chacune des notes précédentes.

0   1   2   3   4

• Quelle est la durée de chaque groupe de notes ? (Tu peux t'aider de la droite graduée.)

a.   b.   c.   d.

2 Un point placé après une note augmente la valeur de cette note de la moitié.

blanche pointée : ♩. = 2 + 1 = 3 temps

noire pointée : ♩. = 1 + $\frac{1}{2}$ = 1 temps et demi

• Quelle est la durée de chaque note ou groupe de notes ?

a.   b.   c.   d.

3 Dans une partition, une mesure est encadrée par deux traits verticaux sur la portée.
Une mesure comporte généralement 4 temps, 3 temps ou 2 temps.
Voici trois mesures d'un morceau de musique.
Explique pourquoi chacune de ces mesures
comporte à 4 temps.

S'exercer

1 **Recopie** puis **place** les traits correspondant à des mesures :
– à 4 temps : **Au clair de la Lune**

Au   clair   de   la   lu - ne   mon   a - mi   pier - rot

– à 3 temps : **Valse n° 2 de Chostakovitch**

– à 2 temps : **Frère Jacques**

Frè - re Jac - ques, Dor - mez - vous ? Son - nez les ma - ti - nes, Ding, Daing, Dong !

Le coin du chercheur

Julie et Khader ont mangé
48 figues. Julie en a mangé
10 de plus que Khader.

Combien chacun a-t-il
mangé de figues ?

Tracer le symétrique d'une figure

COMPÉTENCE : Tracer le symétrique d'une figure par symétrie axiale.

Activités de recherche

Voici un plan de la ville de Brasilia.

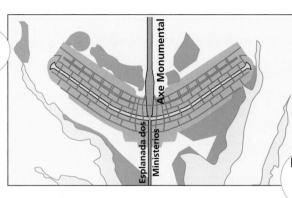

L'Axe Monumental sépare la ville en deux parties.

1 Observe le plan de la ville de Brasilia.
Comment la ville est-elle construite par rapport à l'Axe Monumental ?

2 Observe les figures ci-dessous. Pour quelles figures la droite rouge est-elle axe de symétrie ?

①   ② ③ 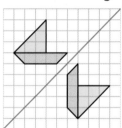 ④ 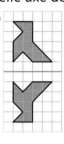 ⑤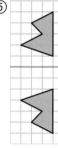

3 Reproduis chaque figure et **trace** son symétrique par rapport à la droite rouge.

① 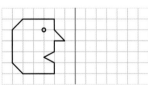 ②  ③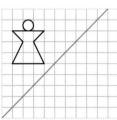

L'essentiel

Tracer : Pour tracer le symétrique d'une figure sur un quadrillage :
– on repère les sommets de la figure ;
– pour chaque point, on construit son symétrique en plaçant celui-ci à la même distance de l'axe que le point initial ;
– on joint ces points comme sur la figure de départ.

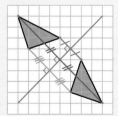

Un point et son symétrique sont toujours sur la même droite perpendiculaire à l'axe de symétrie.

▬▬ **S'exercer** ---

Reconnaître des figures symétriques

1 Pour quelles figures la droite rouge est-elle un axe de symétrie ?
Pour les autres, **explique** les erreurs.

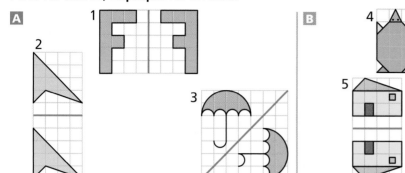

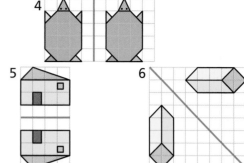

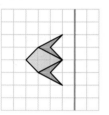

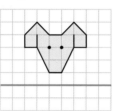

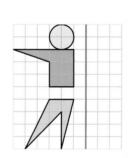

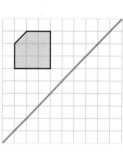

Tracer le symétrique d'une figure par symétrie axiale

2 **Reproduis** les figures, puis **trace** leur symétrique
par rapport à la droite rouge.

A

B

▬▬ **Résoudre** ---

Problème guidé

3 **Reproduis**, puis **trace** le symétrique
de la figure par rapport à la droite rouge.

4 **Reproduis**, puis **trace** le symétrique de
la figure par rapport à la droite rouge.

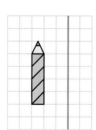

— Repère
les points qui te
semblent importants
pour tracer la figure.
— Cherche d'abord les
symétriques des points
les plus près de la droite
rouge.
— Suis les conseils
donnés dans
L'essentiel.

5 **Reproduis**, puis **trace** le symétrique de
la flèche par rapport à la droite rouge.
Trace ensuite le symétrique de cette nouvelle figure
par rapport à la droite bleue.
Que remarques-tu ?

Calcul instrumenté : quotient et reste d'une division

Calcul mental

Intercaler un nombre décimal entre :
0,61 et 0,62 ;
6,17 et 6,18...

COMPÉTENCE : Calculer le quotient entier et le reste d'une division avec la calculatrice.

Activités de recherche

1. Papy a une collection de 1 400 timbres. Il les partage équitablement entre ses 12 petits-enfants.
Quelle est la part de chacun ?
Utilise ta calculatrice pour diviser 1 400 par 12.
- Qu'affiche-t-elle ?
- Combien de timbres reçoit chaque enfant ?
- Combien de timbres Papy a-t-il distribués ?
- Combien en reste-t-il ?
Écris ces réponses sous la forme : 1 400 = (12 × ...) + ...

2. Le vol Paris – Pékin dure 580 minutes.
Quelle est la durée de ce vol en heures et minutes ?

Aide-toi des conseils de **L'essentiel** pour trouver les minutes restantes.

L'essentiel

Sur une calculatrice, le résultat qui s'affiche sur l'écran lorsque l'on tape 47 divisé par **5** est ┌─────┐ 9.4 └─────┘.
9 est le **quotient entier** de 47 divisé par **5**, mais 4 n'est pas le reste.
Pour trouver le **reste**, on effectue : 47 – (**5** × **9**) = **2**. Le **reste** est donc **2**.
47 = (**5** × **9**) + **2**

> Banque d'**Exercices** et de **Problèmes** n° 6 p. 186.

S'exercer

Calculer le quotient entier et le reste avec la calculatrice

1. **Utilise** ta calculatrice pour trouver le quotient entier et le reste des divisions suivantes.
Écris les réponses sous la forme : 5 140 = (8 × ...) + ...

Ⓐ 5 140 divisé par 8 ; 647 divisé par 25 | Ⓑ 3 210 divisé par 17 ; 42 350 divisé par 346

2. Emilio découpe des étagères de 50 cm de longueur dans une planche qui mesure 243 cm.
– Combien d'étagères découpe-t-il ?
– Quelle longueur de planche lui reste-t-il ?

3. Pedro Suarez veut clôturer son ranch. Il lui faut 716 m de clôture.
Il choisit une clôture vendue en rouleaux de 25 m.
– Combien de rouleaux complets utilisera-t-il ?
– Combien de rouleaux doit-il acheter ?
– Quelle longueur du dernier rouleau sera utilisée ?

4. En 1875, Mathews Weeb a traversé la Manche à la nage en 1 305 minutes.
En 1926, Gertrude Ederlé a réussi la même traversée en 879 minutes.
En 2007, Petar Stoychev a battu le record de cette traversée en 418 min.
Écris toutes ces durées en heures et minutes.

Socle commun 3

5. Un satellite météorologique Météosat tourne avec la Terre en 1 436 minutes.
Écris cette durée en heure et minutes.

COMPÉTENCE : Calculer une fraction d'un nombre.

Activités de recherche

1 Théo doit parcourir 600 km pour aller sur son lieu de vacances.
Il a déjà parcouru les $\frac{3}{4}$ de cette distance.

Comment calculer la distance déjà parcourue ?

$\frac{3}{4}$ de 600 km

600 km

Prendre les $\frac{3}{4}$ de 600 km, c'est prendre 3 fois un quart de 600 km.

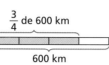

• En t'aidant des conseils de Léa et du schéma :
  – **calcule** un quart de 600 km ;
  – **calcule** la distance déjà parcourue.

2 Benjamin fait des pas d'une longueur égale aux $\frac{3}{5}$ de 1 mètre.

Quelle est la longueur, en centimètres, d'un pas de Benjamin ?

Convertis d'abord 1 mètre en centimètres.

L'essentiel

Prendre les $\frac{2}{5}$ d'une mesure, c'est la partager en 5, puis en prendre 2 parts.

$\frac{1}{5}$ de 100 m, c'est 20 m

$\frac{2}{5}$ de 100 m, c'est 2×20 m = 40 m

C'est aussi
$(100$ m $\div 5) \times 2 = 20$ m $\times 2 = 40$ m

$\frac{2}{5}$ de 100 m

| 20 m | 20 m | 20 m | 20 m | 20 m |

100 m

Dans une fraction, c'est le **dénominateur** qui indique en combien de parts on doit partager la mesure.
Le **numérateur** indique le nombre de parts que l'on doit prendre.

Banque d'**Exercices** et de **Problèmes** n°s 7 à 9 p. 186.

S'exercer

Calculer une fraction d'un nombre

1 **Écris** la valeur de la partie coloriée.

A $\frac{3}{5}$ de 100 m $\frac{2}{3}$ de 300 m

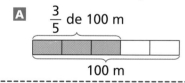

100 m

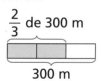

300 m

B $\frac{4}{5}$ de 500 L $\frac{3}{4}$ de 1 000 L

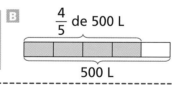

500 L

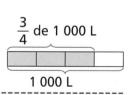

1 000 L

2 **Recopie** et **complète**.

A $\frac{1}{4}$ h = ... min $\frac{3}{4}$ h = ... min

B $\frac{1}{3}$ h = ... min $\frac{2}{3}$ h = ... min

$\frac{3}{4}$ L = ... cL $\frac{3}{5}$ m = ... cm $\frac{3}{10}$ m = ... cm $\frac{2}{5}$ kg = ... g

Résoudre

3 Problème guidé
Au zoo, le girafon boit les $\frac{4}{5}$ de son biberon de 2 L de lait.
Exprime, en centilitres, la quantité de lait qu'il a bue.

Convertis 2 L en cL avant d'en calculer les $\frac{4}{5}$ car le partage en 5 est alors plus facile.

Le coin du cherch**eur**

Complète l'égalité avec 4 nombres qui se suivent :

... + ... + ... + ... = 110

77 Calculer un pourcentage

Données

Calcul mental

Tables de multiplication.
8×7 ; 6×9...

COMPÉTENCES : Savoir calculer un pourcentage dans des cas simples.
Savoir calculer le pourcentage d'un nombre.

Activités de recherche

1 Au cours d'un stage de basket-ball, l'entraîneur a réalisé ce tableau.
Quelle est la basketteuse la plus adroite ?

*Comment le savoir ?
Les basketteuses n'ont pas effectué le même nombre de lancers.*

	Nombre total de lancers	Nombre de lancers réussis	Pourcentage de réussite
Louise	100	74	74 %
Samia	200	140	...
Élise	50	38	...
Vincente	150	90	...
Julia	80	56	...

*Pour répondre à la question, utilise la **proportionnalité**.
Fais comme si toutes les basketteuses avaient effectué 100 lancers.
Tu obtiens alors des pourcentages notés avec le symbole %.*

Calcule le pourcentage de réussite de chaque basketteuse et **complète** le tableau.
Réponds à la question de l'énoncé.
• La basketteuse qui a réussi le plus grand nombre de lancers est-elle la plus adroite ?

2 Marion a effectué 60 lancers avec 40 % de lancers réussis.
Combien de lancers a-t-elle réussis ?

*% est une nouvelle écriture mathématique :
$40 \% = \dfrac{40}{100}$*

L'essentiel

Calculer un pourcentage

Calcul du pourcentage correspondant à 13 lancers réussis sur 25

		$\times 4$	
Nombre de lancers	25	100	
Lancers réussis	13	**52**	
		$\times 4$	

Quand on réussit 13 lancers sur 25, c'est comme si on réussissait 52 lancers sur 100.
On réussit 52 % des lancers.

Calculer le pourcentage d'un nombre

		$\div 10$	$\times 8$	
Nombre de lancers	100	10	80	
Lancers réussis	30	3	24	
		$\div 10$	$\times 8$	

Calcul de 30 % de 80
Quand on réussit 30 % des lancers, on réussit :
– 30 lancers sur 100,
– 3 lancers sur 10,
– 24 lancers sur 80.

*Tu peux aussi calculer comme dans la leçon 76 :
30% de $80 = \dfrac{30}{100}$ de 80
$(80 \div 100) \times 30 = 0{,}8 \times 30 = 24$*

■ **S'exercer**

Calculer un pourcentage

1 **Complète** ces tableaux de proportionnalité.

A

75	25	100
12	…	…

B

80	20	100
16	…	…

Ces tableaux te permettront de calculer un pourcentage.

2 **Trouve** le pourcentage de filles dans chaque école.

A • École Georges-Brassens :
104 filles pour 200 élèves.

• École Victor-Hugo :
23 filles pour 50 élèves.

B • École Jacques-Prévert :
75 filles pour 150 élèves.

• École Jules-Ferry :
44 filles pour 80 élèves.

Calculer le pourcentage d'un nombre

3 Lors des soldes, un magasin propose des réductions de 10 %
sur différents articles.

A **Calcule** le montant de la réduction
d'un article marqué 100 € et d'un article
marqué 150 €.

B **Calcule** le montant de la réduction
d'un article marqué 120 € et d'un article
marqué 80 €.

4 Environ 75 % des spectateurs des matchs de volley-ball sont des hommes.

A **Calcule** le nombre d'hommes dans une
salle qui contient 1 000 spectateurs.
Calcule le nombre de femmes.

B **Calcule** le nombre d'hommes dans une salle
qui contient 2 400 spectateurs.
Calcule le nombre de femmes.

■ **Résoudre**

5 **Problème guidé**

Une console de jeu est marquée au prix de 180 €.
Le 1ᵉʳ novembre, son prix baisse de 20 %.
Quel est son nouveau prix ?

– Calcule d'abord le montant de la réduction.
– Pour trouver le nouveau prix, soustrais le montant de la réduction au prix indiqué.

6 Le même VTT est vendu
dans deux magasins différents.
Quelle est la solution la plus
avantageuse pour le client ?

Magasin 1
VTT free style
30 % de réduction

200 €

Magasin 2
VTT free style
30 € de réduction

7 Lors d'un jeu télévisé, les téléspectateurs ont voté
pour leur chanteur préféré.
Voici les résultats des votes :

Stephen   Alyson   Yann

Quel est le pourcentage des votes obtenus par Yann ?

Le coin du cherch**eur**

Théo a écrit une égalité.
Son frère a déchiré la feuille.
Reconstitue l'égalité.

78 | Calculer le volume d'un pavé droit

Grandeurs

COMPÉTENCES : Connaître et utiliser la formule de calcul du volume du pavé droit.
Connaître les unités métriques de volume.

Calcul mental

Quotient et reste de la division par 2 de :
13 ; 35...

▬▬ Activités de recherche ▬▬▬▬▬▬▬▬

Comment calculer le volume de cette boîte en forme de pavé ?

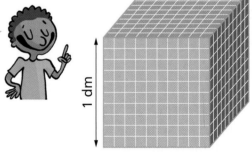

1 On choisit un petit cube comme unité de volume.
- Combien de petits cubes faut-il pour construire une couche ?
- De combien de couches est constitué ce pavé ?
- Combien de petits cubes faut-il utiliser pour construire ce pavé ?
- Chaque petit cube a 1 cm d'arête. Son volume est de un centimètre cube (1 cm³).
- Quel est, en cm³, le volume du pavé ?

2

Pour calculer rapidement le volume d'un pavé, j'utilise la formule de **L'essentiel**.

- Quelle est, en cm, la longueur **L**, la largeur **l** et la hauteur **h** du pavé précédent ?
- **Vérifie** qu'en appliquant la formule de **L'essentiel**, tu obtiens le résultat trouvé en **1**.

Quelles sont les unités de volume utilisées ?

3 **Observe** ce cube de 1 dm de côté.
Son volume est de 1 **décimètre cube** (1 **dm³**).
- Combien contient-il de cubes de 1 cm³ ?
Complète : 1 dm³ = 1 dm × 1 dm × 1 dm
1 dm³ = 10 cm × 10 cm × 10 cm = ... cm³

1 dm

un décimètre cube

L'essentiel▬▬▬▬▬▬▬▬▬▬▬▬▬▬▬▬▬▬▬

Formule de calcul du volume d'un pavé droit

Volume du pavé droit = Longueur × largeur × hauteur
$V = L \times l \times h$

hauteur
h

Longueur
L

largeur
l

Les unités
1 dm³ = 1 000 cm³
1 m³ = 1 000 dm³

1 dm³ = 1 L
1 m³ = 1 000 L

Pour calculer le volume d'un pavé, ses 3 dimensions doivent être exprimées avec la même unité.

▰ S'exercer --

❶ Recopie et **complète** avec m³, dm³ ou cm³.

Un fourgon peut contenir 10 …	Une brouette peut contenir 50 …	Une boîte d'allumettes a un volume de 6 …	Une piscine a un volume de 80 …	Un paquet de biscuits a un volume de 540 …

❷ Calcule le volume de ces pavés droits qui ont pour dimensions :

A • $L = 10$ cm ; $l = 5$ cm ; $h = 7$ cm
   • $L = 2$ m ; $l = 5$ m ; $h = 1$ m

B • $L = 8$ cm ; $l = 5,2$ cm ; $h = 7,4$ cm
   • $L = 5,9$ dm ; $l = 0,3$ dm ; $h = 10$ dm

❸ Complète.

A 1 m³ = … dm³ 1 dm³ = … cm³
     1 m³ = … L 1 L = … cm³

B $1,5$ m³ = … dm³ $0,8$ dm³ = … cm³
     $0,1$ m³ = … L 100 L = … cm³

▰ Résoudre --

❹ Problème guidé

Calcule le volume de ce pavé.
Exprime le résultat en cm³, puis en m³.

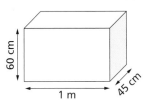

60 cm   1 m   45 cm

— Quand tu exprimes les trois dimensions en cm, tu obtiens le volume en cm³.
— Quand tu exprimes les trois dimensions en m, tu obtiens le volume en m³.
— Applique la formule de **L'essentiel** pour calculer le volume du pavé.

❺ Les petits cubes qui constituent ces pavés ont 1 cm d'arête.
Quelles sont les 3 dimensions de chacun de ces pavés droits ? Quel est leur volume ?

A   1 cm

B   1 cm

❻ Ceci est le patron d'un pavé droit.
Calcule le volume du pavé.

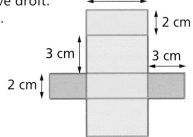

5 cm   2 cm   3 cm   3 cm   2 cm

Le coin du cherch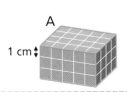eur

Écris les chiffres de 1 à 7 dans les cercles afin que la somme des nombres de chaque alignement soit égale à 13.

Atelier problèmes (5)

COMPÉTENCE : Résoudre des problèmes qui réclament plusieurs étapes.

Calcul mental

Quotient et reste de la division par 4 de :
13 ; 19

Activités de recherche ----------------------

Un éleveur veut garder ses chevaux dans un champ rectangulaire de 53 m de long et 30 m de large. Il prévoit de laisser un espace de 3 m dans la clôture pour y placer une porte en bois.
Pour clôturer son terrain, il achète du ruban électrique qui coûte 0,19 € le mètre.
Combien dépensera-t-il pour l'achat du ruban ?

Attention, il n'y a qu'une question, mais pour trouver la réponse, il faut effectuer plusieurs opérations.

Il faut d'abord calculer la longueur de ruban nécessaire, en tenant compte du fait que la porte ne comporte pas de ruban électrique.

Que dois-tu calculer en premier ? En deuxième ? En troisième ?
Effectue les opérations puis **rédige** les réponses.

Résoudre ----------------------

1 Monsieur Higuinen veut confectionner 5 rideaux. Pour chaque rideau il a besoin de 4 m de voile de lin qui coûte 13,90 € le mètre. Combien dépensera-t-il pour l'achat du voile ?

2 Une agricultrice a livré 3 remorques de 200 kg de poires. La centrale d'achat d'une grande surface les lui achète 0,87 € le kilo. Combien l'agricultrice recevra-t-elle d'argent ?

3 Un taxi parcourt 6 200 km par mois. Sa voiture consomme en moyenne 6 L pour 100 km. Le litre de gazole coûte 1,411 €. À combien s'élève sa facture de carburant pour l'année ?

4 Madame Dumoulin veut poser de la moquette dans ses deux chambres. L'une mesure 6 m de long et 5 m de large ; l'autre 5 m de long et 4 m de large. La moquette coûte 52 € le m². Quel sera le montant de la facture de la moquette ?

5 Nyoman achète une tartelette et un éclair au chocolat. Il paie avec un billet de 5 €. La pâtissière lui rend 1 € 50 c. La tartelette coûte 1 € 80 c. Quel est le prix de l'éclair au chocolat ?

6 Amélie a acheté un téléviseur full HD 1 200 €.
Elle paie en 6 mensualités égales. Elle a déjà payé 800 €.
Combien de mensualités lui reste-t-il à payer ?

7 Madame Durand veut peindre les murs et le fond de sa piscine.
Avec un pot de peinture, elle peut couvrir 9 m².
Combien devra-t-elle acheter de pots de peinture ?

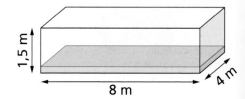

1,5 m
8 m
4 m

ATELIER INFORMATIQUE N° 5 :
Tracer la figure symétrique d'une figure donnée par rapport à une droite

1. Ouvre le **traitement de texte OpenOffice.org Writer***.

Reporte-toi à l'atelier informatique 3 (page 189) si cette barre de boutons n'apparaît pas.

2. Clique ensuite sur « Formes des symboles ».

Tu obtiens cette fenêtre :

– Clique sur le bouton « Lune ».
– Clic gauche maintenu, déplace la souris et trace un croissant de lune.

3. Pour tracer le symétrique de ce croissant de lune
a. Clique sur la figure si elle n'est pas sélectionnée.

Clique sur le bouton 📋 « Copier », puis sur la feuille blanche et enfin sur le bouton 📋 « Coller ».
Déplace la nouvelle figure (les deux figures sont superposées).

b. Clique sur « Format » (dans le menu, en haut de l'écran), puis sur « Retourner ».
Voici ce que tu obtiens :

| Refléter verticalement |
| Refléter horizontalement |

– Utilise le bouton 🔲
« Refléter horizontalement »,
puis assemble les croissants
de lune par leurs pointes.

– Avec le bouton « Ligne » (il est situé en bas, à gauche de l'écran), trace en rouge la droite qui passe par les pointes.
Tu obtiens la figure ci-contre :

• *Que représente la droite rouge ?*

4. Entraîne-toi à reproduire ce cœur, puis à tracer son symétrique par rapport à la droite rouge.

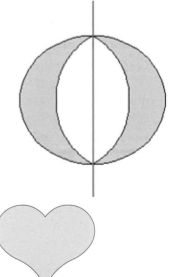

81 Parenthèses et calculs

Nombres

COMPÉTENCE : Utiliser les parenthèses dans un calcul.

Calcul mental

Multiplications à trou.
En 64, combien de fois 8 ?
En 42, combien de fois 6 ?

Activités de recherche

1 Marine et Thomas calculent 2 × (4 + 5).
Marine trouve 13 et Thomas 18.
Qui s'est trompé ? Pourquoi ?
À ton tour, **calcule** 4 × (2 + 3) puis (2 × 4) + (3 × 2).

2 **Place** les parenthèses pour que les calculs soient exacts.
5 + 2 × 3 = 21   ;   2 × 4 + 3 = 14   ;   5 + 2 × 4 + 3 = 49

L'essentiel

Dans un calcul, il faut d'abord effectuer les opérations à l'intérieur des parenthèses.
$$(3 + 8) \times 2 = 11 \times 2 = 22 \qquad (3 \times 8) - (2 \times 7) = 24 - 14 = 10$$

Banque d'Exercices et de Problèmes n°s 21 à 24 p. 187.

S'exercer

Utiliser les parenthèses dans un calcul

1 **Calcule** en tenant compte des parenthèses.

A (4 + 5) × 6   4 + (5 × 6)   **B** (3 × 4) + (6 × 2)   (2 × 6) − (3 + 2)
(5 × 2) + 4   5 × (2 + 4)   (5 + 2) × (4 − 1)   (5 + 4) × (3 + 4)

---

2 **Recopie** et **place** des parenthèses pour trouver le résultat donné.

A 3 + 5 × 10 = 53   5 + 5 × 5 = 50   **B** 5 × 4 + 8 × 2 = 36   5 + 4 × 8 + 2 = 90
3 + 5 × 10 = 80   5 + 5 × 5 = 30   2 × 4 − 3 × 2 = 2   2 + 4 × 3 − 1 = 13

Résoudre

3 Problème guidé

Cassandre et Louis ont lancé chacun trois fléchettes.
En utilisant les parenthèses, **écris** en ligne les opérations
qui permettent de calculer leur score.
Effectue ensuite les calculs.
Qui a gagné ?

— Souviens-toi : le double, c'est multiplié par 2 ; le triple, c'est multiplié par 3.
— Écris en ligne les opérations pour Cassandre : (2 × 18) + ... ; puis pour Louis.
— Enfin, calcule leur score et compare-les.

| double 18 | 16 | triple 5 | | 25 | double 6 | triple 4 |

4 Une salle de spectacle contient 1 rangée de 12 fauteuils, 15 rangées de 20 fauteuils
et 25 rangées de 30 fauteuils.
En utilisant les parenthèses, écris en ligne les opérations qui permettent de calculer le nombre
de fauteuils.
Effectue ensuite les calculs.

82

Nombres

Les touches mémoire de la calculatrice

COMPÉTENCE : Utiliser les touches mémoire d'une calculatrice.

Calcul mental

Multiplications à trou.
En 54, combien de fois 9 ?
En 32, combien de fois 8 ?

▣ Activités de recherche

❶ Effectue mentalement ce calcul : (3 × 4) + (2 × 5).
Comment retrouver ce résultat avec la calculatrice ?

> Ma calculatrice n'a pas de touches parenthèses ! Je tape l'opération et la calculatrice affiche : 70. Ce n'est pas le bon résultat.

> Utilise les touches mémoire. Reporte-toi à **L'essentiel** pour bien comprendre leur fonction.

Effectue ce calcul en utilisant les touches | M+ | et | MRC |.
Écris le programme sous la forme : 3 × 4 | M+ | …

> Le symbole M apparaît en haut à gauche de l'écran lorsqu'un nombre est contenu dans la mémoire de la calculatrice.

❷ Effectue mentalement ce calcul : (6 × 3) – (2 × 4)
Effectue ce calcul en utilisant les touches | M+ |, | M– | et | MRC |.
Écris le programme sous la forme : 6 × 3 | M+ | …

L'essentiel

Touches mémoire

Les touches mémoire permettent de stocker le résultat d'un calcul intermédiaire et de pouvoir l'ajouter ou le retrancher au contenu de la mémoire.

Calcul de (3 × 8) – (2 × 7)

3 × 8 | M+ | 2 × 7 | M– | | MRC | → 10
　　　↓　　　　　↓　　　↓
Ajoute **24** à la mémoire　Retranche **14** à la mémoire　Affiche le contenu de la mémoire

⚠️ Avant d'effectuer une nouvelle série de calculs, il faut vider la mémoire. Pour cela, tape deux fois sur | MRC | puis sur | ON/C |.

| M+ | permet d'ajouter le nombre obtenu à la mémoire
| M– | permet de retrancher le nombre obtenu à la mémoire
| MRC | (ou | MR |) permet d'afficher le contenu de la mémoire.

> Banque d'**Exercices** et de **Problèmes** nᵒˢ 25 à 28 p. 187.

▣ S'exercer

Utiliser les touches mémoire d'une calculatrice

❶ Complète les programmes pour effectuer ces opérations, puis **effectue**-les avec ta calculatrice. **Note** les résultats.

A (263 × 36) + (208 × 25) → 263 × 36 | M+ | …

(854 × 63) – (278 × 34) → 854 × 63 | M+ | …

B (358 + 93) + (289 × 48)

(877 × 89) – (63 × 45)

▣ Résoudre

❷ Problème guidé

Nathalie achète des fournitures pour décorer son appartement.
Elle achète 3 étagères à 19 € l'une
et 4 rideaux à 29 € l'un.
Elle paie avec 4 billets de 50 €.
Combien la caissière lui rend-elle ?

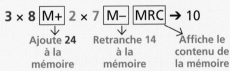

> – Utilise la touche | M+ | pour l'argent qu'elle possède ;
> – Utilise la touche | M– | pour les achats ;
> – Trouve la solution en utilisant la touche MRC.

Le coin du chercheur

Une bouteille et son bouchon valent 11 €. La bouteille vaut 10 € de plus que le bouchon.

Combien vaut la bouteille et combien vaut le bouchon ?

83 Notion de vitesse

Données

COMPÉTENCES : Calculer une vitesse, calculer des distances ou des durées connaissant la vitesse moyenne.

Calcul mental

Dictée de grands nombres.
1 milliard 25 millions
15 mille...

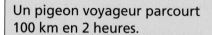

Activités de recherche

1 Comment savoir qui se déplace le plus vite ?

Pour comparer des vitesses, il faut comparer les distances parcourues pendant la même durée.
Souviens-toi que :
1 heure = 60 min = 3 600 s

Un pigeon voyageur parcourt 100 km en 2 heures.

Un cheval au galop parcourt 3 600 m en 3 minutes.

Un chien lévrier parcourt 1 km en 1 minute.

Un guépard peut atteindre la vitesse de 110 km par heure.

Indique la vitesse en km/h du pigeon, du lévrier, du cheval et du guépard.
• Qui court le plus vite ? Le moins vite ?
• S'ils se déplaçaient à cette vitesse pendant une heure, quelle distance chaque animal pourrait-il parcourir ?
• En une heure, qui parcourt la plus grande distance ?
La plus petite ?

Une vitesse en km par heure indique la distance (en km) qu'on parcourt en une heure.
On la note sous la forme : km/h.

2 Une voiture roule à la vitesse régulière de 80 km/h.
Combien de temps met-elle pour parcourir 120 km ?
Quelle distance parcourt la voiture en 2 h 30 min ? En 1 h 45 min ?
• Pour répondre aux questions, **reproduis** et **complète** ce tableau de proportionnalité.

Durée en heure	1	$\frac{1}{2}$	...	2
Distance en km	80	...	20	...

L'essentiel

Une vitesse en **km/h** indique le nombre de **kilomètres** parcourus en une **heure**.
Avec une vitesse régulière, la distance parcourue est **proportionnelle** à la durée du parcours.
Si on se déplace à 100 km/h, on parcourt 100 km en une heure, 200 km en 2 heures,
50 km en $\frac{1}{2}$ heure, 25 km en $\frac{1}{4}$ heure...

Attention, quand on indique une vitesse en km/h cela ne signifie pas que le véhicule s'est déplacé durant une heure.

Une voiture peut rouler à 80 km/h durant seulement $\frac{1}{2}$ h. Elle parcourt alors la moitié de 80 km, soit 40 km.

S'exercer

Estimer une vitesse

1 **Associe** chaque vitesse au dessin correspondant.

3 km/h ; 12 km/h ; 30 km/h ; 80 km/h ; 900 km/h

A.   B.   C.  D.   E.

Calculer une vitesse en km/h

2 **Calcule** la vitesse en km/h de chacun de ces véhicules.

A

	Véhicule 1	Véhicule 2	Véhicule 3
Distance parcourue	120 km	90 km	40 km
Durée du parcours	2 h	1 h	$\frac{1}{2}$ h

B

	Véhicule 4	Véhicule 5	Véhicule 6
Distance parcourue	100 km	25 km	30 km
Durée du parcours	60 min	30 min	15 min

---

3 **Calcule**, en km/h, la vitesse de chacun de ces animaux.

A • Un léopard parcourt 1 km en 1 minute.

• Une antilope parcourt 1,5 km en 1 minute.

B • Un rhinocéros parcourt 15 km en 20 minutes.

• Un renard parcourt 8 km en 10 minutes.

Calculer une distance ou une durée

4 Un TGV se déplace à la vitesse moyenne de 300 km/h.
Complète ces tableaux de proportionnalité.

A

Distance parcourue	300 km	…	150 km
Durée du parcours	…	2 h	…

B

Distance parcourue	…	…	450 km
Durée du parcours	15 min	45 min	…

---

5 **A** Un automobiliste roule à 60 km/h.
Quelle distance parcourt-il en 1 h ?
En 1 h 30 min ? En 2 h 30 min ?

B Un avion vole à 800 km/h.
Quelle distance parcourt-il en $\frac{1}{4}$ h ?
En 2 h 15 min ?

Résoudre

6 Problème guidé

Hamed parcourt un kilomètre en 15 minutes.
Il participe à une randonnée de 12 km.

• Quelle est la vitesse d'Hamed en km/h ?

• S'il continue à la même vitesse,
quelle sera la durée de sa randonnée ?

— Pour calculer la vitesse en km/h, tu dois calculer la distance parcourue en une heure. N'oublie pas que 15 min = $\frac{1}{4}$ h.
— La durée de la randonnée est le nombre d'heures qu'il faut à Hamed pour parcourir 12 km.

Socle 5 commun

7 En 1908, Henry Farman a effectué le premier vol en avion
« de ville à ville ».
Il a parcouru les 27 km
qui séparent Bouy de Reims
en 20 minutes.
À quelle vitesse volait-il ?

Le coin du chercheur

La somme de deux nombres consécutifs est égale à 57.

Quels sont ces deux nombres ?

84 Construire des figures planes

Géométrie

COMPÉTENCE : Tracer des figures, sur papier quadrillé ou uni, d'après un programme de construction ou un dessin à main levée.

Activités de recherche

1 **Lis** le programme de construction, puis **observe** les dessins.
Quelle figure est correctement tracée ?

Programme de construction
• Trace un carré.
• Trace ses diagonales. Nomme O le point d'intersection des diagonales.
• Trace deux cercles de centre O : le premier passe par les sommets du carré et le deuxième passe par les milieux des côtés.

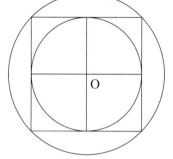

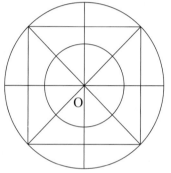

2 **Lis** ce programme de construction.
Sur une feuille unie, **construis** la figure que décrit ce programme.

Programme de construction
• Trace le rectangle ABCD de longueur 12 cm et de largeur 4 cm.
• Trace ses diagonales qui se coupent en O.
• Trace le cercle de centre O et de diamètre 4 cm.

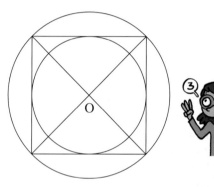

3 **Construis** la figure d'après son modèle à main levée.

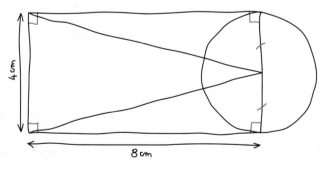

Utilise le codage indiquant les angles droits et les égalités de longueurs.

L'essentiel

Pour réussir une construction géométrique, à partir d'un programme, il faut :
– connaître le vocabulaire de la géométrie ;
– suivre le programme pas à pas.

Pour réussir une construction géométrique, à partir d'un dessin à main levée, il faut prendre en compte les codages de ce dessin.

■■■ S'exercer --------------------------------

Choisir la figure correspondant à un programme de construction

1 Quelle figure correspond à ce programme de construction ?

Programme de construction
• Trace un carré.
• Trace un cercle qui a pour diamètre un côté du carré.
• Trace un segment ayant pour extrémités le centre du cercle et un sommet du carré.

a 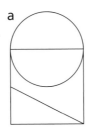 b 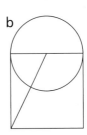 c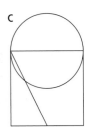

Construire une figure sur papier quadrillé

2 Construis la figure au centre d'une feuille sur papier quadrillé.

A • Trace un carré de 5 carreaux de côté.
• Trace 4 cercles : chacun a pour centre un sommet du carré et pour rayon le côté du carré.

B • Trace le carré ABCD de 5 carreaux de côté.
• Trace un cercle de centre B et de rayon BA.
• Trace un cercle de centre D et de rayon DA.

Construire une figure sur papier uni

3 Construis la figure sur papier uni.

A • Trace un triangle rectangle ABC. Son angle droit est en A.
AB = 3 cm et AC = 4 cm.
• Marque le milieu de BC. Nomme-le O.
• Trace le cercle de centre O et de rayon OB.

B • Trace un rectangle ABCD avec AB = 6 cm et BC = 3 cm.
• Marque les milieux des côtés AB et CD.
• Trace, à l'extérieur du rectangle, deux demi-cercles : l'un a pour diamètre le côté AB et l'autre le côté CD.

Construire une figure à partir d'un dessin à main levée

4 Construis la figure d'après son modèle à main levée.

A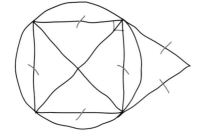

B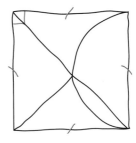

■■■ Résoudre ----------------------------------

5 Problème guidé

Les lunules d'Hippocrate
• Trace un cercle de centre O et de diamètre AC = 6 cm.
• Trace le diamètre BD perpendiculaire à AC.
• Trace le carré ABCD.
• Trace I le milieu de AB, J le milieu de BC, K le milieu de DC et L le milieu de AD.
• Trace à l'extérieur du cercle, quatre demi-cercles de diamètre AB et de centres respectifs I, J, K et L.
• Colorie les quatre lunules à l'extérieur du carré.

Trace, d'abord à main levée, la figure qui correspond à ce programme.

Le coin du cherch(eur)

Cécile dit : « J'ai autant de sœurs que de frères. »
Son frère Louis dit : « J'ai deux fois plus de sœurs que de frères. »
Combien de filles et de garçons compte cette famille ?

85 Données — Résoudre une situation de proportionnalité (3)

Résoudre une situation de proportionnalité (3)

Calcul mental

Quotient et reste de la division par 5 de : 13 ; 26…

Activités de recherche

1 Léa achète un gigot vendu 20 € le kg. Elle dépense 35 €. Quelle est, en grammes, la masse du gigot ?

> Comment trouver une masse en grammes alors qu'on n'indique que des prix en euros ?

- Que signifie « 20 € le kg » ?
- Quelle serait la masse d'un gigot qui coûte 40 € ? Qui coûte 60 € ? Le prix d'un gigot est-il proportionnel à sa masse ?

Recopie et **complète** ce tableau de proportionnalité en t'aidant de la remarque de Mathéo.

×20	Masse (kg)	1	…	…	…	÷20
	Prix (€)	20	40	60	35	

> Dans un tableau de proportionnalité, on peut toujours passer d'une ligne à l'autre en multipliant ou en divisant chaque valeur par un même nombre.

Convertis, en grammes, la masse du gigot acheté par Léa.

2 Quand il pleut, l'eau du toit est récupérée dans un bac de 324 litres. Lors d'une pluie régulière, le bac récupère 12 L d'eau en 2 minutes. En combien de temps la pluie aura-t-elle rempli ce bac ?

- Que signifie « 12 L d'eau en 2 minutes » ?
- Au bout de combien de temps le bac contiendra-t-il 24 L ? 36 L ?

La durée de remplissage du bac est-elle proportionnelle à la quantité d'eau ?

Recopie et **complète** ce tableau de proportionnalité.

×…	Durée (min)	2	…	…	…	÷…
	Quantité (L)	12	24	36	324	

> N'oublie pas : 2 × 6 = 12 ou 12 ÷ 6 = 2

L'essentiel

Dans un tableau de proportionnalité, il est possible de passer d'une ligne à l'autre en multipliant ou en divisant chaque valeur par un même nombre.

Par exemple, pour un rôti qui coûte 10 € le kg, on a :

×10	Masse (kg)	1	2	3	5,2	0,7	÷10
	Prix (€)	10	20	30	52	7	

Le prix et la masse sont deux grandeurs proportionnelles.

> Dans cet exemple, on multiplie par 10 pour passer de la masse au prix et on divise par 10 pour passer du prix à la masse. C'est une autre façon d'utiliser un tableau de proportionnalité.

Banque d'**Exercices** et de
Problèmes n°s 39 et 40 p. 189.

S'exercer ----------

Tu peux utiliser la calculatrice pour résoudre ces problèmes.

Résoudre une situation de proportionnalité

1 **A** Mallaury achète du tissu qui vaut 12 € le mètre. Elle paie son achat 36 €. Combien de mètres de tissu a-t-elle achetés ?

× 12	Longueur (m)	1	...	÷ 12
	Prix (€)	12	36	

B Margot achète des raisins vendus 3 € le kg. Elle dépense 7,50 €. Quelle masse de raisin a-t-elle achetée ?

× ...	Masse (kg)	1	...	÷ ...
	Prix (€)	3	7,50	

2 **A** Aïcha remplit un réservoir de 120 L avec un robinet qui débite 24 L en 3 minutes. Quelle est la durée de remplissage du réservoir ?

× 8	Durée (min)	3	...	÷ 8
	Quantité (L)	24	120	

B 3 kg de merguez coûtent 21 €. Julia en a acheté pour 17,50 €. Quelle masse de merguez a-t-elle achetée ?

× ...	Masse (kg)	3	...	÷ ...
	Prix (€)	21	17,50	

3 **A** Zoé achète des cerises vendues 10 € le kg. Elle dépense 13 €. Quelle masse de cerises a-t-elle achetée ?

B Un camion dégage 300 g de dioxyde de carbone aux 100 km. Il parcourt 750 km. Quelle masse de dioxyde de carbone dégage-t-il lors de ce parcours ?

■ Résoudre ----------

4 Problème guidé

En 5 pas, le géant Zeraldo parcourt 30 m. Il a parcouru 1,32 km. Combien de pas a-t-il effectués ?

— Il faut exprimer toutes les longueurs avec la même unité : convertis en m.
— Tu peux t'aider d'un tableau de proportionnalité : indique sur une ligne le nombre de pas et sur l'autre la distance parcourue en mètres.

5 Trois livres identiques pèsent 1 800 g. Une pile de ces mêmes livres pèse 12 kg. Combien de livres compte cette pile ?

6 Deux litres d'eau de la mer Méditerranée contiennent environ 80 g de sel. Quelle quantité d'eau de mer doit-on faire évaporer pour obtenir 1 kg de sel ?

7 En trois tours de pédales, Lisa parcourt 9,6 m. Combien de tours de pédales a-t-elle effectués lorsqu'elle a parcouru 3,2 km ?

8 Un photocopieur imprime 4 pages en 10 secondes. Combien de temps, en minutes et secondes, met-il pour imprimer 180 pages ?

Le coin du chercheur

Katia a 3 fois l'âge de Josée. À elles deux, elles ont 24 ans. Quelle est l'âge de chacune ?

Agrandissement, réduction, échelles
Activités de recherche

COMPÉTENCES : Réaliser des agrandissements ou des réductions de figures planes.
Résoudre des problèmes relatifs aux échelles.

1 Agrandissement

La figure ② est un agrandissement de la figure ①.

Les figures ① et ②
ont la même forme.

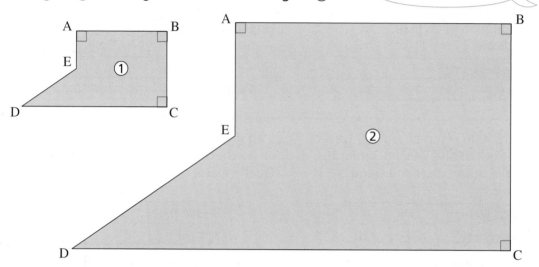

Mesure les longueurs des côtés de chaque figure. **Recopie** le tableau, puis **écris**-les.

Segments	AB	BC	CD	DE	EA
Figure ①	25 mm	20 mm	…	…	…
Figure ②	75 mm	…	…	…	…

… (bulle)

Compare chaque mesure de segments, effectuée sur la figure ②, à la mesure correspondante de la figure ①. A-t-on multiplié toutes les dimensions de la figure ① par un même nombre pour obtenir les dimensions de la figure ② ? Cet agrandissement est-il une situation de proportionnalité ? **Complète** la bulle rouge à droite du tableau.

Agrandis la figure ① en multipliant ses dimensions par 2.
La figure que tu as dessinée a-t-elle la même forme que la figure ① ?

2 Réduction

Reproduis la figure ci-contre en divisant ses dimensions par 2.

• La figure que tu as obtenue est-elle un agrandissement ou une réduction ?

Mesure les rayons du disque vert de la figure ci-contre et de la figure que tu as obtenue. **Compare**-les. Que constates-tu ?

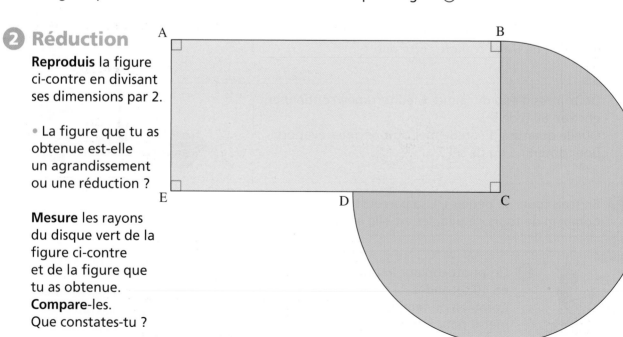

❸ Plan

Voici le plan de l'appartement de Nils représenté à l'échelle $\frac{1}{100}$. Cela signifie que toutes les dimensions du plan ont été obtenues en divisant par 100 les dimensions réelles.

• À quelle longueur réelle correspond 1 cm sur ce plan ?
Mesure les dimensions intérieures de la cuisine puis **complète** le tableau.

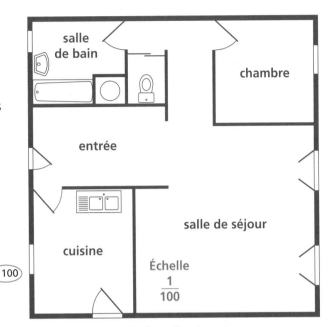

	Longueur	Largeur
Dimensions sur le plan (cm)	...	...
Dimensions réelles (cm)	...	...

(100) ↗ (× 100) ↙

• Nils souhaite placer un canapé entre les deux portes-fenêtres de la salle de séjour. Quelle sera la plus grande longueur possible de ce canapé ?

• Il souhaite dessiner le plan de sa chambre à l'échelle $\frac{1}{50}$. Que représentera 1 cm sur ce plan ?
Le dessin de la chambre sera-t-il plus grand ou plus petit que celui du livre ?
Trace sur ton cahier le plan de cette chambre à l'échelle $\frac{1}{50}$.

• Il désire installer un lit dont les dimensions réelles sont 2 m sur 1,40 m.
Dessine le lit à l'échelle à $\frac{1}{50}$ sur une feuille. **Découpe**-le et **place**-le sur le plan de la chambre que tu as dessiné.

❹ Maquette

Un fabricant de jouets entreprend la construction d'une maquette de voiture à l'échelle $\frac{1}{60}$.
Il dispose des dimensions réelles du véhicule, en millimètres.
Quelles seront, au millimètre près, les dimensions (longueur, largeur, hauteur) de la maquette ?

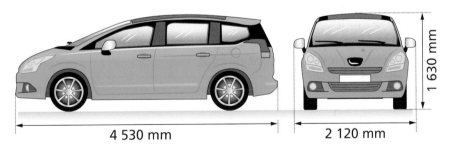

4 530 mm   2 120 mm   1 630 mm

Pour t'aider, **complète** le tableau ci-dessous.

	Longueur	Largeur	Hauteur
Dimensions réelles (mm)	...	...	...
Dimensions de la maquette (mm)	...	...	...

(× ...) ↗ (÷ ...) ↙

86 Agrandissement, réduction, échelles
La méthode

❶ Comment réduire un triangle rectangle en divisant ses dimensions par 2

Réduis le triangle rectangle ABC en divisant ses dimensions par 2.

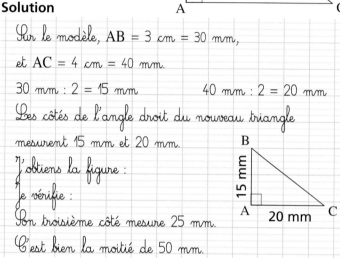

Conseils
- Mesure la longueur des côtés de l'angle droit du modèle.
- Divise ces mesures par 2.
- Trace un angle droit.
- Reporte sur les côtés de cet angle droit les longueurs que tu as calculées.
- Termine le triangle.
- Vérifie que la longueur du troisième côté du petit triangle est égale à la moitié de la longueur du troisième côté du grand triangle.

Solution

Sur le modèle, AB = 3 cm = 30 mm,

et AC = 4 cm = 40 mm.

30 mm : 2 = 15 mm   40 mm : 2 = 20 mm

Les côtés de l'angle droit du nouveau triangle

mesurent 15 mm et 20 mm.

J'obtiens la figure :

Je vérifie :

Son troisième côté mesure 25 mm.

C'est bien la moitié de 50 mm.

❷ Comment tracer un plan

Un terrain de volley-ball a une forme rectangulaire de 18 m de long et 9 m de large.
Une ligne centrale s'étend sous le filet sur toute la largeur du terrain et sépare les deux camps.
Représente ce terrain à l'échelle $\frac{1}{200}$.

Conseils
- Pour représenter un plan à l'échelle $\frac{1}{200}$, il faut diviser les dimensions réelles par 200.
- Pour cela, convertis les dimensions réelles en centimètres.
- Divise ces dimensions par 200 : tu obtiens les dimensions du plan en centimètres.

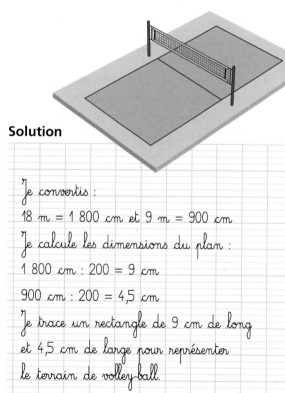

Solution

Je convertis :

18 m = 1 800 cm et 9 m = 900 cm

Je calcule les dimensions du plan :

1 800 cm : 200 = 9 cm

900 cm : 200 = 4,5 cm

Je trace un rectangle de 9 cm de long

et 4,5 cm de large pour représenter

le terrain de volley-ball.

Tu peux aussi tracer un tableau de proportionnalité.

	Longueur	Largeur
Dimensions réelles (cm)	1 800	900
Dimensions sur le plan (cm)	9	4,5

÷ 200

L'essentiel

Agrandir ou réduire une figure

Quand on agrandit ou réduit une figure, toutes ses dimensions sont multipliées ou divisées par le même nombre.

Exemple d'agrandissement par 3

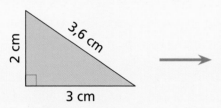

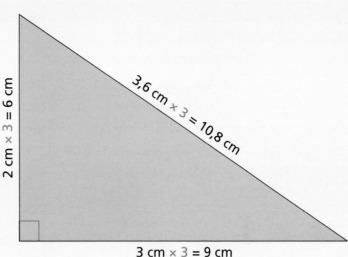

Exemple de réduction par 2

2 cm ÷ 2 = 1 cm   3,6 cm ÷ 2 = 1,8 cm

3 cm ÷ 2 = 1,5 cm

 Quand on agrandit ou réduit une figure, les dimensions de la figure obtenues sont proportionnelles aux dimensions de la figure de départ.

Réaliser un plan ou une maquette

On ne peut pas représenter sur une feuille une maison, une voiture dans leurs dimensions réelles.

On dessine un plan ou on construit une maquette à l'échelle $\frac{1}{50}$; $\frac{1}{100}$ ou $\frac{1}{200}$.

Cela signifie que l'**on divise les dimensions réelles** par 50, par 100, par 200... **pour obtenir les dimensions du plan ou de la maquette.**

Utiliser un plan ou une maquette

Si on mesure les dimensions d'une maquette d'avion réalisée à l'échelle $\frac{1}{72}$, **on peut connaître les dimensions réelles de l'avion en multipliant les mesures de la maquette** par 72. Exemple : La maquette d'un avion mesure 15 cm de long ; cela signifie que l'avion mesure en réalité 15 cm × 72 = 1 080 cm = 10,80 m.

 Une maquette d'une voiture à l'échelle $\frac{1}{10}$ sera plus grande qu'une maquette de la même voiture à l'échelle $\frac{1}{50}$.

$\frac{1}{10}$

$\frac{1}{50}$

Agrandissement, réduction, échelles
Les exercices

Agrandissement / Réduction

1 Comment passes-tu :
 – de la figure ① à la figure ② ?
 – de la figure ② à la figure ① ?

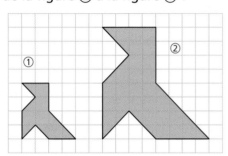

2 **Agrandis** cette figure en multipliant ses dimensions par 2.

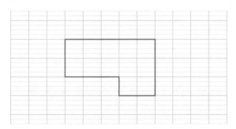

3 **Agrandis** cette figure en multipliant ses dimensions par 3.

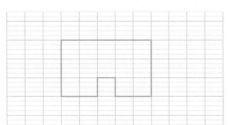

4 **Réduis** cette figure en divisant ses dimensions par 2.

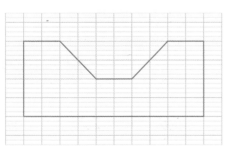

5 Comment passes-tu :
 – de la figure noire à la figure rouge ?
 – de la figure noire à la figure bleue ?

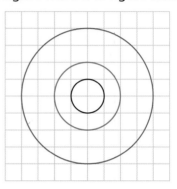

6 **Agrandis** cette figure en multipliant ses dimensions par 3.

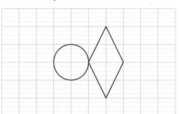

7 **Agrandis** cette figure en multipliant ses dimensions par 2.

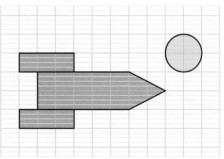

8 **Reproduis** cette figure à l'échelle $\frac{1}{2}$.

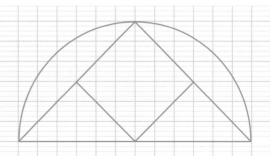

Plan / Maquette

9 Voici le plan de la chambre de Salim à l'échelle $\frac{1}{100}$.

Sur ce plan, **mesure** la longueur et la largeur intérieures de la chambre.

Recopie et **complète** le tableau ci-dessous pour trouver les dimensions réelles de la chambre de Salim.

	Longueur	Largeur
Dimensions sur le plan (cm)	...	...
Dimensions réelles (cm)	...	...

• **Exprime,** en mètres, les dimensions réelles de la chambre.

10 À l'échelle $\frac{1}{43}$, une voiture mesure :
– 92 mm de longueur,
– 42 mm de largeur,
– 34 mm de hauteur.

Comment passes-tu des dimensions de la maquette aux dimensions de la voiture ?

Recopie et **complète** le tableau pour trouver les dimensions réelles de la voiture.

	Longueur	Largeur	Hauteur
Dimensions de la maquette (mm)	...	...	...
Dimensions réelles (mm)	...	...	...

Exprime, en mètres, les dimensions réelles de la voiture.

11 Le paquebot Queen Mary 2 mesure 345 m de long. Dans un musée, une maquette de ce bateau est représentée à l'échelle $\frac{1}{250}$.

Quelle est, en cm, la longueur de cette maquette ?

12 La cousine de Paul habite un nouvel appartement. Elle lui envoie un dessin à main levée qui représente sa nouvelle chambre.
Dessine le plan de cette chambre à l'échelle $\frac{1}{25}$.

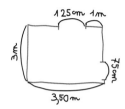

13 L'Airbus A380 possède une envergure d'environ 80 m. Il mesure 73 m de longueur et 24 m de hauteur.

Calcule les dimensions de la maquette réalisée à l'échelle $\frac{1}{72}$.

14 À Paris, un magasin de souvenirs propose des tours Eiffel de toutes tailles.
La tour Eiffel mesure environ 320 m de haut. À l'aide des renseignements ci-dessous, **calcule** la taille de ces tours Eiffel miniatures ?

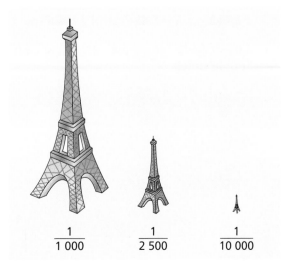

$$\frac{1}{1\,000} \qquad \frac{1}{2\,500} \qquad \frac{1}{10\,000}$$

15 Sur une carte routière, l'échelle est représentée de la façon suivante :

0   15 km

Combien de kilomètres sont représentés par un centimètre sur la carte ?

Convertis en centimètres la distance trouvée ci-dessus pour écrire l'échelle de cette carte.

16 **Agrandis** cette figure en multipliant ses dimensions par 2.

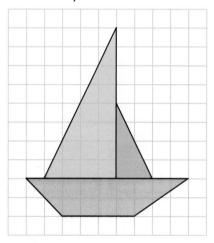

L'unité d'aire est le carreau.
Calcule l'aire :
– du modèle ;
– de l'agrandissement.

L'aire du modèle a-t-elle doublé ou quadruplé après agrandissement ?

17 Ce Tangram est reproduit à l'échelle $\frac{1}{5}$.

Construis-le en vraie grandeur sur une feuille unie.

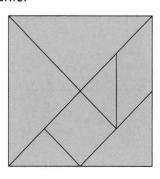

18 Voici un pou de tête vu à la loupe binoculaire. Il est agrandi 25 fois.
Quelle est sa longueur réelle ?

4,5 cm

19 Sur cette carte, quelle est en ligne droite la distance de Bastia à Calvi ?

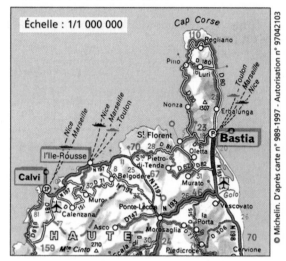

Calcule la distance réelle correspondante.

Quelle est la distance, par la route, entre ces deux villes ?

Un automobiliste roule à 50 km/h. Peut-il effectuer ce trajet en moins de deux heures ?

20 Sur un photocopieur, les agrandissements ou réductions sont donnés en pourcentages : 100 % = 1 ; 50 % = 0,5 ; 200 % = 2.
Patrick place la figure ci-dessous sur le photocopieur et tape 200 %.
Dessine la figure qui sortira de la machine.

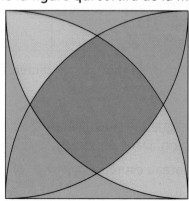

21 Voici un extrait de la carte IGN (Institut Géographique National) de la chaîne des puys du Parc naturel régional des volcans d'Auvergne.

Cette carte est à l'échelle $\dfrac{1}{25\,000}$.

a. Des randonneurs doivent parcourir le circuit matérialisé en jaune sur la carte.
À quelle altitude est situé le point de départ ?
À quelle longueur réelle correspond 1 cm sur cette carte ?

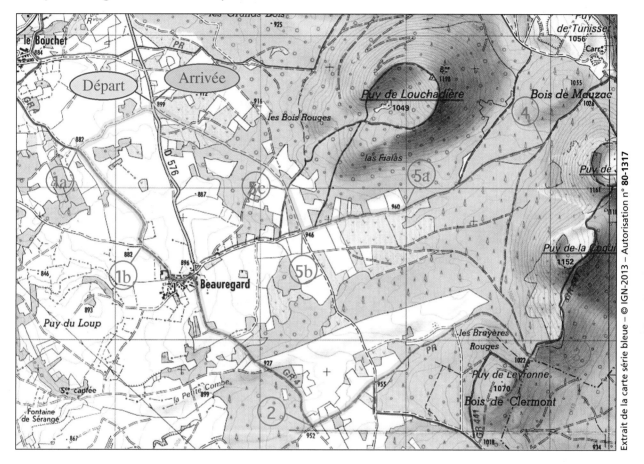

b. Dans ce parcours d'orientation, le but est d'effectuer un circuit en passant obligatoirement par les points de contrôle ①, ②, ③, ④ et ⑤.
Le point de contrôle ① est situé à 630 m du point de Départ.
Est-ce le point ⓐ ou le point ⓑ ?

c. Mesure sur la carte le trajet entre les points de contrôle ② et ③.
Quelle distance, en m, doivent parcourir les randonneurs pour relier le point ② au point ③ ?

d. Le point de contrôle ④ est distant à vol d'oiseau de 1 750 m du point de contrôle ⑤.
Le point de contrôle ⑤ est-il situé au point ⑤ⓐ ? Au point ⑤ⓑ ? Ou au point ⑤ⓒ ?

e. À la fin du parcours, un randonneur déclare avoir parcouru 10 km.
Est-ce vrai ? Justifie ta réponse.

Mobilise tes connaissances ! (5)

COMPÉTENCES :
Rechercher et organiser des données d'un problème en vue de sa résolution.
Résoudre des problèmes de plus en plus complexes.

Les « big five » ou les cinq grands

En Afrique, on désigne par « BIG FIVE » les « cinq grands » mammifères craints et respectés par les hommes : l'éléphant, le rhinocéros, le buffle, le lion et le léopard. Ces « BIG FIVE » furent choisis par l'écrivain Ernest Hemingway dans son roman : *Les neiges du Kilimandjaro*.

1. Quelle masse de végétaux consomme chaque jour un rhinocéros de 3 tonnes ?

2. Quel est le nombre d'éléphants vivant actuellement en Afrique ?

3. Quelle masse de végétaux consomme un éléphant chaque jour ?

Le rhinocéros est un mammifère herbivore.
Il mesure entre 3,35 et 4,2 m de long, et environ 1,9 m au garrot. Il pèse entre 1,4 et 3,6 tonnes.
Il mange chaque jour 2 % de son poids en végétaux.
Son espérance de vie est de 45 ans au maximum.
Il peut atteindre 45 km/h lorsqu'il est à pleine vitesse.

L'éléphant est le plus grand animal terrestre vivant actuellement. En moyenne, un éléphant d'Afrique mâle adulte mesure plus de 3 mètres au garrot et pèse de 5 à 7 tonnes.
À pleine vitesse, il peut atteindre 40 km/h. Son espérance de vie est de l'ordre de 70 ans. Il est herbivore et consomme environ 1 750 kg de végétaux par semaine. En 1930, on comptait 5 millions d'éléphants en Afrique. On estime qu'il n'en reste actuellement plus que 10 %.

4. Un troupeau de 10 éléphants boit en 20 jours, l'équivalent d'une piscine de 7 m de long par 4 m de large et 1 m de profondeur. Calcule, en litres, le volume d'eau consommée chaque jour par un éléphant. Tu peux utiliser ta calculatrice.

Cette figurine de 13 cm de long et de 7 cm de haut, représente **le buffle** d'Afrique à l'échelle $\frac{1}{25}$.

Ce bovidé est massif et lourd. Il pèse entre 500 et 900 kg.
Ses cornes mesurent jusqu'à 1,5 m de long.
Son espérance de vie est de 20 ans.
Il peut courir à 57 km/h.

5. Quelles sont, en mètres, la longueur et la hauteur réelles de ce buffle ?

6. Reproduis ce dessin, puis trace son symétrique par rapport à la droite rouge.

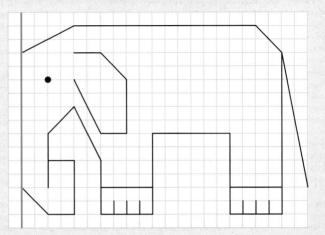

Le lion est le plus grand carnivore d'Afrique. Un mâle peut mesurer 2 mètres de long du bout du museau à la base de la queue et possède une queue qui prolonge sa longueur de 45 %.
Les mâles atteignent une masse de 215 kg à l'âge adulte.
La lionne pèse en moyenne $\frac{7}{10}$ du poids du mâle.
Les lionnes sont plus rapides que les mâles et peuvent atteindre des vitesses maximales proches de 60 km/h.
La durée de vie d'un lion sauvage est de 15 ans environ.

Le léopard a un corps long et musclé : 1,90 m de corps auquel il faut ajouter sa longue queue de 90 cm qui lui sert de balancier lorsqu'il se déplace dans les arbres.
La taille de la femelle représente environ deux tiers de celle du mâle.
Le léopard pèse en moyenne 65 kg pour le mâle.
La femelle pèse en moyenne $\frac{3}{5}$ du poids du mâle.
Il peut parcourir 1 km en 1 minute à pleine vitesse.
Sa durée de vie est d'environ 12 ans.

7. Combien mesure un lion mâle du museau au bout de la queue ?

8. Quel est le poids d'une lionne ? D'un léopard femelle ?

9. Un léopard court-il aussi vite qu'une lionne ?

10. Range le buffle, la lionne, l'éléphant et le rhinocéros du plus rapide au plus lent.

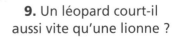

Pour chaque exercice, reco
la bonne réponse **A**, **B** ou

■ Grandeurs et mesure

		A	B	C	Aide
1	L'aire du triangle jaune est donnée par…	$(b + h) \div 2$	$b \times h$	$(b \times h) \div 2$	**Leçon 7** L'essenti Exercice
2	L'aire d'un panneau triangulaire de 4 mètres de base et 3 mètres de haut est égale à…	$12 \ m^2$	$3,5 \ m^2$	$6 \ m^2$	
3	Le volume de cette boîte est égal à…	$630 \ cm^3$	$8\ 820 \ cm^3$	$490 \ cm^3$	**Leçon 78** L'essenti Exercice 2, 3 et 4
4	Quel est le volume d'eau d'un bassin d'arrosage de 6 m de longueur, 3 m de largeur et 150 cm de profondeur ?	27 L	$27 \ m^3$	$18 \ m^3$	
5	$1 \ m^3$ est égal à…	10 L	100 L	1 000 L	
6	$0,1 \ dm^3$ est égal à…	$100 \ cm^3$	$1\ 000 \ cm^3$	$10 \ cm^3$	

■ Géométrie

		A	B	C	Aide
7	Quelle figure a été construite à partir de ce programme de construction ? Trace un carré ABCD. Trace ses diagonales. Elles se coupent au point E. Trace le cercle de centre E et de rayon EB.				**Leçon 84** L'essenti Exercice
8	La figure orange est-elle le symétrique de la figure verte par rapport à la droite rouge ?	Oui	Non	Je ne sais pas.	
9	La figure orange est-elle le symétrique de la figure verte par rapport à la droite rouge ?	Oui	Non	Je ne sais pas.	**Leçon 74** L'essenti Exercice

Problèmes

	A	B	C	Aide
Dans un sac de 50 billes, il y a 15 billes rouges. Quel est le pourcentage de billes rouges ?	15 %	30 %	50 %	**Leçon 77** L'essentiel Exercice 2
Dans un sac de 200 billes, il y a 150 billes bleues. Quel est le pourcentage de billes bleues ?	75 %	25 %	50 %	
À la fin d'un match de tennis, un entraîneur observe les services de son joueur. Sur 50 services, le joueur a réussi 35 premières balles. Exprime ce résultat en pourcentages.	70 %	35 %	50 %	
Une pile de 5 livres identiques a une hauteur de 10 cm. Quelle est la hauteur d'une pile de 12 de ces livres ?	24 cm	12 cm	5 cm	**Leçon 85** L'essentiel Exercices 1 et 5
24 € le kg Marion a acheté pour 6 € de ce fromage. Elle en a acheté :	600 g	500 g	250 g	
Durant la course des 24 heures du Mans, le vainqueur de l'édition 2012 a parcouru 5 160 km en 24 heures. Calcule sa vitesse moyenne en km/h.	259 km/h	215 km/h	198 km/h	**Leçon 83** L'essentiel Exercices 3 et 5
Une cycliste roule à 20 km/h. Quelle distance parcourt-il en 2 h 30 min ?	40 km	60 km	50 km	
Comment passes-tu de la figure verte à la figure rouge ?	En multipliant toutes les dimensions par 2.	En divisant toutes les dimensions par 2.	En multipliant toutes les dimensions par 3.	**Leçon 86** L'essentiel Exercices 1 et 11
Quelle distance réelle représente 1 cm sur une carte au 1/100 000 ?	100 m	1 m	1 km	
Les côtés d'un carré mesurent 10 cm. À l'échelle $\frac{1}{2}$, ils mesureront :	20 cm	5 cm	2 cm	

■■■■ **LEÇON 71**

1 L'aire du rectangle est 30 cm².
Trouve l'aire du triangle violet et du triangle jaune.

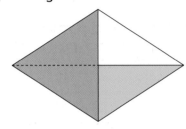

2 **Calcule** l'aire du triangle bleu et l'aire du triangle vert.

10 cm — 5 cm

12 m — 6 m

3 *Comme le problème guidé*

Les diagonales de ce losange mesurent 16 cm et 10 cm.
Calcule l'aire du triangle violet et celle du triangle orange.

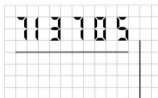

■■■■ **LEÇON 74**

4 Sur du papier quadrillé, écris le nombre 713 705, comme le modèle.
Trace le symétrique de ce nombre par rapport à la droite rouge.
Trace ensuite le symétrique du symétrique par rapport à la droite bleue.
Quel mot obtiens-tu ?

5 *Comme le problème guidé*

Reproduis ce dessin, puis **trace** son symétrique par rapport à la droite verte.

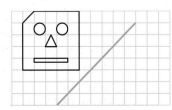

■■■■ **LEÇON 75**

6 **Utilise** ta calculatrice pour trouver le q[uo]tient entier et le reste de :
758 divisé par 7 ; 3 164 divisé par 9.
Écris chaque réponse sous la forme :
758 = (7 × …) + …

■■■■ **LEÇON 76**

7 **Écris** la valeur de la partie coloriée.

$\frac{3}{5}$ de 500 g

$\frac{3}{4}$ de 800 g

500 g   800 g

8 *Comme le problème guidé*

Au zoo, un hippopotame boit $\frac{2}{5}$ de [l']abreuvoir qui contient 20 L d'eau.
Quelle quantité d'eau a-t-il bue ?

9 La superficie de l'Italie est environ égale [à]
$\frac{5}{9}$ de celle de la France métropolitaine.
La France métropolitaine a une super[ficie]
de 550 000 km².
Quelle est, environ, la superficie de l'Ita[lie ?]

■■■■ **LEÇON 77**

10 **Écris** les égalités entre les pourcentage[s et]
les nombres.

100 %	25 %	50 %	75 %	20 [%]
0,50	0,25	1	0,20	0,7[5]

11 Voici deux publicités pour les mêmes D[VD.]
Pour réaliser une bonne affaire, qu[elle]
offre choisirais-tu ?

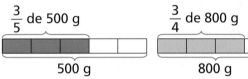

LES DEUX DVD
50 €
Remise 20 %

Les deux DVD
soldés !
45 €

12 Dans un sondage portant sur 1 200 [per]sonnes, 32 % des personnes interrog[ées]
ont répondu *Oui* à la question qui [leur]
était posée, 28 % ont répondu *Non*. [Les]
personnes restantes se sont déclarées s[ans]
opinion. Quel est le pourcentage de [per]sonnes sans opinion ?

13 *Comme le problème guidé*

Le prix d'un vélo de course est de 30[0 €.]
Au 1er avril, son prix baisse de 10 %.
Quel est son nouveau prix ?

Sur une feuille quadrillée, **trace** un carré de 10 carreaux de côté.
Utilise-le pour représenter l'étendue des terres émergées de notre planète.

Afrique	20 %	Asie	29,5 %
Amérique	28 %	Europe	7,5 %
Antarctique	9 %	Océanie	6 %

Utilise une couleur différente pour chaque continent.

Au basket, Tania a réussi 12 lancers francs sur 30 tentatives, alors que Jerry a réussi 18 lancers francs sur 40 tentatives.
Qui est le meilleur lanceur ?

Un village côtier de 1 950 habitants voit sa population augmenter de 50 % durant les mois d'été.
Quel est le nombre d'habitants de ce village, en été ?

La moitié des élèves de Rochebrune viennent à l'école en bus, *un quart* à vélo, *un dixième* en voiture et les autres à pied.
• **Écris** cette phrase en exprimant chacune des données en italique sous la forme d'un pourcentage.
• L'école de Rochebrune compte 200 élèves. Combien d'enfants viennent à l'école :
– en bus ?
– à vélo ?
– en voiture ?
– à pied ?

LEÇON 78

Calcule le volume d'un aquarium qui a pour dimensions : L = 80 cm ; l = 52 cm ; h = 74 cm.

Comme le problème guidé

Calcule le volume de cette poutre en bois.
Exprime le résultat en cm³, puis en m³.

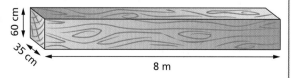

Quel est le volume d'eau d'une piscine de 9,50 m de long, 4 m de large et 150 cm de profondeur ?

LEÇON 81

21 **Calcule** en tenant compte des parenthèses.
(3 + 8) × 4   7 + (3 × 8)
(5 × 6) – (3 × 9)   (2 + 5) × (4 + 3)

22 **Place** des parenthèses pour trouver le résultat donné.
4 + 6 × 8 = 80   3 + 5 × 4 = 23
5 × 4 – 3 × 2 = 10   7 + 4 × 3 – 1 = 32

23 *Comme le problème guidé*

Maéva et Léo jouent aux dés. Chacun lance les 6 dés.
Maéva a obtenu :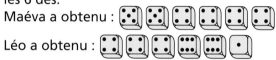
Léo a obtenu :
En utilisant les parenthèses, **écris** en ligne les opérations qui permettent de calculer leur score.
Effectue ensuite les calculs.
Qui a le plus de points ?

24 En utilisant les parenthèses, **écris** en ligne les opérations qui permettent de trouver la quantité totale de lait restant en stock le 15 novembre.

> **Stock de lait bio au 15 novembre**
>
> 2 cuves de 1 550 L
> 15 réservoirs de 120 L
> 1 cuve de 1 100 L

LEÇON 82

25 **Complète** les programmes pour effectuer ces opérations, puis **effectue**-les avec ta calculatrice. **Note** les résultats.
(23 × 76) + (58 × 45) → 23 × 76 |M+| …
(45 × 73) – (183 × 8) → …

26 *Comme le problème guidé*

À la boulangerie, Natacha achète 3 tartelettes aux abricots à 3,50 € l'une et 4 éclairs à la vanille à 2,90 € l'un. Elle paie avec 3 billets de 10 €.
Combien la caissière lui rend-elle ?

27 **Complète** les programmes utilisant les touches mémoire pour calculer l'aire de cette pièce de deux façons différentes.

12 × 6 M+ …

12 × 12 M+ …

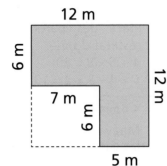

12 m

6 m

7 m

9 m

12 m

5 m

28 En utilisant les touches mémoire de la calculatrice, **trouve** le montant de cette facture.

Article	Quantité	Prix à l'unité	Total
Boussole	15	12,00	…
Sifflet	5	4,00	…
Balise	10	8,00	…
Montant à payer			…

▬▬▬ **LEÇON 83**

29 **Associe** chaque véhicule à son compteur de vitesse.

25 km en 15 min   30 km en 20 min

30 • En vol, une caille parcourt environ 15 mètres en une seconde.

Si elle continuait à voler à la même allure, quelle distance parcourrait-elle en une heure ?

À quelle vitesse une caille vole-t-elle ?

• Un canard colvert parcourt en moyenne 1 200 m en une minute.

S'il continuait à voler à la même allure, quelle distance parcourrait-il en une heure ?

À quelle vitesse un canard vole-t-il ?

31 *Comme le problème guidé*

Le marathon est une course à pied mesure environ 42 km.

Léo a parcouru les 2 premiers kilomètres marathon de Paris en 12 minutes.

Quelle est la vitesse de Léo en km/h ?

S'il continue à courir à la même vitess quelle sera la durée de sa course ?

32 Un sprinter court le 100 m en 10 s. Cheet le robot sur pattes, atteint 45 km/h.

Qui va le plus vite ?

33 Céline entreprend une marche de 18 kr la vitesse régulière de 4 km/h.

Combien de temps mettra-t-elle pour eff tuer sa marche si elle fait une pause 30 minutes ?

34 En France, la vitesse des automobiles limitée à 130 km/h sur les autoroutes.

Monsieur Lebrun accomplit un parcours 6 heures à la vitesse moyenne de 130 km

Quelle distance parcourt-il ?

Madame Simon accomplit le même trajet roulant à la vitesse moyenne de 120 km/h

Quel temps met-elle ?

Calcule l'écart entre les temps des de automobilistes.

Est-il vraiment nécessaire de rouler vite

▬▬▬ **LEÇON 84**

35 **Trace** deux segments de même longueur et CD qui se coupent en leur milieu O.

Joins leurs extrémités. Quelle figure as obtenue ? **Vérifie.**

36 **Construis** la figure d'après son modèl main levée.

Comme le problème guidé

• **Trace** un carré de 5 cm de côté.
• **Marque** les milieux des côtés.
• **Trace** 4 demi-cercles à l'intérieur du carré. Ils ont pour centres les milieux des côtés et pour diamètres les côtés du carré.

• **Trace** le rectangle ABCD : AB = 6 cm et BC = 3 cm.
• **Marque** le milieu du côté AB. Nomme-le E.
• **Marque** le milieu du côté DC. Nomme-le F.
• **Trace** un cercle de centre E et de rayon 2 cm.
• **Trace** un autre cercle qui a pour centre F et le côté DC pour diamètre.

▗▖ LEÇON 85

Lucie achète du tissu vendu 6 € le m. Elle dépense 15,60 €.
Quelle longueur de tissu a-t-elle achetée ?

Comme le problème guidé

Pour mesurer la largeur des cages de football, Tristan fait des petits pas. En 6 petits pas, il parcourt 1,5 m. Les cages de football ont une largeur de 7 m.
Combien de pas a-t-il effectués ?

▗▖ LEÇON 86

Reproduis cette figure sur ton cahier en l'agrandissant trois fois.

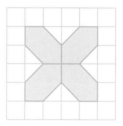

Reproduis la figure sur ton cahier en l'agrandissant une fois et demie.

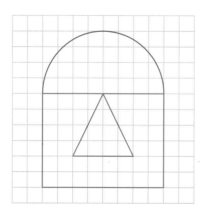

43 **Réduis** la figure de l'exercice précédent en divisant ses dimensions par 2.

44 Pour chaque échelle, **indique** quelle distance réelle représente 1 cm sur la carte.
Échelle : $\dfrac{1}{50}$;
échelle $\dfrac{1}{1\,000}$;
échelle : $\dfrac{1}{50\,000}$.

45 **Dessine** le plan de ce massif à l'échelle $\dfrac{1}{50}$.

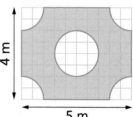

4 m

5 m

▮ Problèmes de recherche -----

46 Le loup a vu la brebis. Il est situé à 40 m de la bergerie et la brebis seulement à 20 m. Mais il court beaucoup plus vite. Si le loup parcourt 8 m chaque seconde et la brebis seulement 5 m, peut-il la rattraper avant qu'elle puisse se mettre à l'abri dans la bergerie ?

47 Jacques marche à la vitesse de 6 km/h mais possède deux heures d'avance sur Emma. Celle-ci, sur son vélo, roule à 10 km/h.
Combien de temps mettra-t-elle pour rattraper Jacques ?

48 Un terrain de football mesure 100 m de long sur 50 m de large.
Quelle est l'échelle la mieux adaptée pour représenter ce terrain sur ton cahier ?
Dessine cette représentation.

Corrections des Coins du chercheur

(p. 9) : 10 en tout : 2 grands et 8 petits car dans la figure de base il y a quatre petits carrés et un grand, sa rotation de 45° ne fait pas apparaître de nouveaux carrés.

(p. 11) : Déplacer le jeton vert et le mettre sous le noir.

(p. 13) : Les deux surfaces ont la même aire car on peut passer de l'une à l'autre par découpage et rotation.

(p. 15) : Charles a 14 ans car :
1 + 2 + 3 … + 14 = 105

(p. 17) : Il faut transformer le V en X pour obtenir 11 en chiffres romains.

(p. 19) : Monsieur Lapin a 7 enfants : 6 garçons et une fille qui est la sœur de chacun des 6 garçons.

(p. 21) : Le rectangle doit avoir une longueur égale au double de sa largeur.

(p. 25) : Je dois te donner 5 €.

(p. 29) :

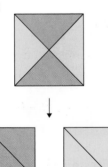

(p. 31) : Il faut écrire IV + II = VI
En déplaçant la barre verticale du premier six.

(p. 33) : Non, car la somme des longueurs des deux côtés de l'angle droit d'un triangle rectangle est supérieure à la longueur de son hypoténuse.

(p. 35) : On obtient un triangle avec trois points d'intersection.

(p. 45) : AB est plus long que CD contrairement à ce que laisse penser la perception visuelle.

(p. 47) : Le berger retire 2 litres de lait du bidon à l'aide de la bouteille et les verse dans le seau ; il recommence l'opération. Il a alors retiré 4 litres du bidon de 5 litres, il reste donc 1 litre de lait.

(p. 49) : Il faut assembler 27 cubes de 1 cm d'arête pour fabriquer un cube plein de 3 cm d'arête.

(p. 51) : Ce problème peut se résoudre par l'expérimentation. Il faut enlever 2 allumettes au minimum pour n'obtenir plus que 2 carrés. Voici une des solutions possibles :

(p. 53) : Sans le tunnel, l'assemblage contiendrait 30 cubes. Chaque tunnel enlève 3 cubes, il en reste donc 24.

(p. 55) : Seuls les dominos B et E possèdent un seul axe de symétrie ! Le domino A n'a aucun axe de symétrie, tous les autres en ont deux, parallèles à leurs bords.

(p. 57) : L'addition est
32 + 19 = 51

(p. 61) :

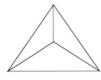

(p. 63) : La somme des points attribués aux deux carrés vaut :
1 + 2 + 3 + 4 + 5 + 6 + 7 + 8 = 36
La somme des points attribués à chaque carré est donc :
18 (36 ÷ 2)
Il existe de nombreuses solutions.
Par exemple :
1 ; 3 ; 6 ; 8 aux sommets du carré rouge et 2 ; 4 ; 5 ; 7 aux sommets du carré bleu.

(p. 65) : On peut construire 6 carrés.

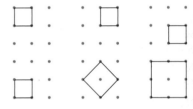

(p. 67) : Il faut 4 pavés.

(p. 69) : On remplit le bidon de 5 L avec le bidon de 3 L : au deuxième vidage, il reste 1 L dans le bidon de 3 L.
On vide le bidon de 5 L et on y verse le 1 L, puis on complète avec un nouveau bidon de 3 L.

(p. 71) : Si Diane tire la première flèche à midi, elle tirera la soixantième à 12 h 59 min.

(p. 81) : Plusieurs solutions possibles.
En voici une :

1	4	3	2
2	3	4	1
4	2	1	3
3	1	2	4

(p. 83) : Supprimer les segments b, d et f.

(p. 85) : En faisant le tour du pentagone, on dispose les nombres en faisant du « saute-mouton » on obtient :
1 ; 4 ; 2 ; 5 ; 3

(p. 89) : Il suffit de tracer les trois droites des milieux, on obtient quatre triangles superposables.

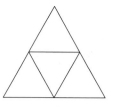

(p. 91) : A = 6 ; E = 1 ; L = 4

```
      1 4 6
      1 1 6
    + 6 6 6
    ─────────
      9 2 8
```

(p. 97) : Dans cet enclos se trouvent 3 antilopes et 6 autruches.
Nombre de pattes :
(3 × 4) + (6 × 2) = 24
Nombre de têtes :
(3 × 1) + (6 × 1) = 9

(p. 99) : Kiki a 12 ans, Minou a 9 ans.

(p. 101) : Nos yeux nous trompent.
La distance entre le disque blanc et le sommet est la même que celle entre le disque blanc et le côté BC.

(p. 103) :
(2 + 2) × (2 + 2) × 2 − 2 = 30
ou
(2 × 2 × 2 × 2 × 2) − 2 = 30

(p. 105) : Voici un exemple d'assemblage :

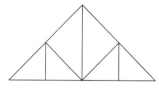

(p. 117) : Il est né le 29 février date qui n'apparaît que tous les 4 ans quand l'année est bissextile.

(p. 119) : Il y a un fils, son père et son grand-père.

(p. 121) :

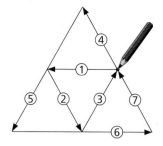

(p. 123) : De chaque point on peut tracer 4 droites, il y a 5 points donc 20 droites mais chacune est tracée deux fois au total on obtient 10 droites.

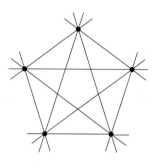

(p. 125) : Son arête mesure 4 cm.
4 cm × 4 cm × 4 cm = 64 cm³

(p. 127) : Un quart de tablette pèse 50 g donc la tablette pèse 200 grammes.

(p. 131) : Le quart de 8 est 2 ; le triple de 2 est 6. Ou bien, le triple de 8 est 24 ; le quart de 24 est 6.
Réponse : 6

(p. 133) :
Hier, il avait 6 000 écus.
Avant-hier, il avait 3 000 écus.

(p. 135) :
1 + 3 + 5 = 4 + 3 + 2 = 9

(p. 137) : 25 × 7 + 10 − 4 = 181

(p. 139) : Le camion transporte 8 tonnes et la remorque 4 tonnes.

(p. 141)

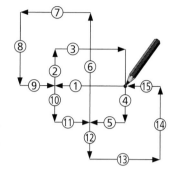

(p. 143) : 9 minutes.

(p. 153) : C'est 63 car
63 = 2 × 31 + 1

Tous les autres nombres sont formés de cette façon à partir du précédent.

(p. 155) : Khader a mangé 19 figues et Julie 29.

(p. 157) : Au bout de 6 minutes, Zoé aura fait 3 tours de piste et Yannis 2 tours. Elle aura donc fait un tour de plus que Yannis.

(p. 159) : 26 + 27 + 28 + 29 = 110

(p. 161) : 12 × 5 = 60

(p. 163) : Une solution :

(p. 167) : Le bouchon coûte 50 c et la bouteille 10 € 50 c.

(p. 169) : 28 + 29 = 57

(p. 171) : Cette famille compte 3 garçons et 4 filles.

(p. 173) : Josée a 6 ans, Katia a 18 ans.

Références photographiques

page 9 Londres (Royaume-Uni), Tamise, palais de Westminster, tour de l'Horloge (Big Ben) © Andrea Pavan / Sime / Photononstop **page 15** © Gamma **page 18** Mel Longhurst Eye Ubiquitous / Hutchison © Photo12 / Eye Ubiquitous **page 25** © Gamma/Art Seitz **page 26** Métro de Lyon © Stéphane Audras/ REA **page 30** Photo12 / Alamy **page 31** © Imagestate / IMAGESTATE / GHFP **page 36** © Biosphoto / David A. Hardy / Science Photo Library **page 37 h** © Photo12 / Alamy **b** © Ville d'Angoulême 2010 – Photo P. Blanchier **page 44** © Kendrick Brinson / The New York Times / Redux / REA **page 54** © Stéphane Audras / REA **page 58** © Biosphoto / Gilles Martin **page 70** © Luc Boegly / Artedia / Leemage **page 72 h** © Sébastien Ortola / REA **b** © Guglielminotti / Leemage ; © SuperStock / Leemage ; © Electa / Leemage **page 73 h** © Collection Artedia / Pei Leoh Ming Rice Peter / Artedia / Leemage **b** © DeAgostini / Leemage **page 108** © Stéphanie Saïsse **page 109** Étienne Marie / akg-images **page 120** Victor Vasarely (1908-1997), collection privée / The Bridgeman Art Library, © ADAGP, Paris, 2013 **page 144 h** © Marcel Mochet / AFP ImageForum **b** océanopolis © David Wrobel **page 145 h** © Biosphoto / Jean-Claude Robert **b** © Biosphoto / Bruno Guenard **page 179** © Gamma **page 180** © Michelin **page 181** © IGN

- *Création de la mascotte Mathéo* : René Cannella
- *Création de la maquette intérieure* : Estelle Chandelier
- *Conception de la maquette de couverture* : Estelle Chandelier
- *Illustration de couverture* : Jean-Louis Goussé
- *Mise en page* : Médiamax
- *Illustrations intérieures* : Loïc Méhée, René Cannella
- *Dessins techniques* : Gilles Poing
- *Fabrication* : Marine Cadis
- *Responsable de projets* : Thierry Amouzou

PAPIER À BASE DE FIBRES CERTIFIÉES

hachette s'engage pour l'environnement en réduisant l'empreinte carbone de ses livres. Celle de cet exemplaire est de : **800 g éq. CO₂** Rendez-vous sur www.hachette-durable.fr

ISBN : 978-2-01-118117-6

© HACHETTE LIVRE 2013, 58 rue Jean Bleuzen,CS 70007,92178 Vanves cedex.
www.hachette-education.com

Achevé d'imprimer en France par Loire Offset Titoulet à Saint-Etienne
Dépôt légal : Mars 2016 - Collection n° 85 - Édition 04
11/8117/1

Solides droits

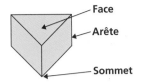

Le prisme droit
Il possède 2 bases.
Ses faces latérales sont des carrés
ou des rectangles.

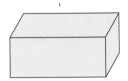

Le pavé ou **parallélépipède rectangle**
Les six faces sont des rectangles.
Les faces opposées sont superposables.

Le cube
Les six faces sont des carrés.

Le cylindre droit
Il possède 2 disques superposables :
ce sont ses bases.

Patrons

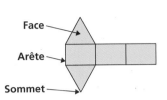

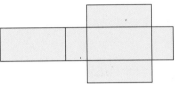

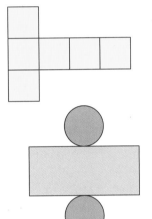

Unités de mesure

Longueur
1 m = 100 cm = 1 000 mm

1 km = 1 000 m

Capacité

1 L = 100 cL = 1 000 mL

Masse
1 kg = 1 000 g

1 t = 1 000 kg

Durée
1 h = 60 min = 3 600 s

1 min = 60 s

Périmètres

Périmètre du carré
P = côté × 4

Périmètre du rectangle
P = (Longueur + largeur) × 2

Périmètre du cercle
P = diamètre × 3,14

Aires

Aire du carré
A = côté × côté

Aire du rectangle
A = Longueur × largeur

Aire du triangle
A = (base × hauteur) ÷ 2